SICILIANO

COMÉDIAS
DA VIDA PRIVADA

Betinho e cia g
Pró ler e in um
ponco da vide.
Beijo zezen

LUIS FERNANDO VERISSIMO

COMÉDIAS
DA VIDA PRIVADA

101 Crônicas Escolhidas

Agradecimentos a Jorge Furtado, que participou da edição deste livro.

produção: Jó Saldanha e Fernanda Verissimo
capa: Caulos
revisão: José Renato Deitos

ISBN 85-254-0437-3

V517c   Verissimo, Luis Fernando, 1936-
             Comédias da vida privada: 101 crônicas escolhidas/
         Luis Fernando Verissimo. – 24. ed. – Porto Alegre : L & PM,
         1996.
             328 p. :   23 cm.

             1. Crônicas brasileiras. 2. Ficção brasileira-Sátira e
         Humor. I. Título.

                                          CDD   869.97
                                                  869.98
                                          CDU   869.0(81)-7
                                                  869.0(81)-94

Catalogação elaborada por Izabel A. Merlo, CRB 10/239.

1ª edição – agosto de 1994

Impresso no Brasil
Primavera de 1996

ÍNDICE

FIDELIDADES
&
INFIDELIDADES

A FIDELIDADE

Ele chegou na praia numa terça-feira, que é um dia esquisito. Quando as crianças vieram do banho de mar deram com o pai na varanda. "Ué", observaram. Pouco depois chegou a mulher e também estranhou ele ali, numa terça e com aquela cara. Pensou no pior. "A mamãe!" Não, não, a mãe dela estava bem. Tudo na cidade estava bem. Ele sentira saudade, pegara o carro e viera para a praia. Só isso.

Mais tarde, longe das crianças, disse a verdade.

– Me contaram que você tem um namorado.

A mulher deu uma gargalhada. Mas quem é que tinha contado tamanha bobagem?

– Me contaram – disse ele, vago. E acrescentou: – Um surfista.

– Eu, namorando um surfista?!

A mulher não podia acreditar que ele tinha acreditado numa história daquelas. Logo ela! Ele foi dramático:

– Me preocupo com as crianças.

– Mas isso é uma loucura! Eu, namorando um garoto?

– Eu não falei na idade do surfista – disse ele, como se isto a incriminasse sem apelação. Ela tentou brincar:

– Homem, aqui, só tem garoto, velho ou brigadiano.

Ele não riu. Estava resignado. Talvez merecesse a infidelidade dela. Mas se preocupava com as crianças. Ela o abraçou. Mas o que era aquilo? Depois de tantos anos de casado, aquela desconfiança? Nunca tinham desconfiado um do outro. Nunca. Ela o afastou. Disse:

– Isso é coisa da Marjóri, não é? Aposto que é coisa da Marjóri.

Não. Não era coisa da Marjóri. Um telefonema anônimo. Ele se esforçara para não dar importância ao telefonema. Se esforçara para não acreditar. Mas não resistira.

– Me desculpe...

Ela o abraçou de novo, emocionada. Fez ele jurar uma coisa.

– Nunca, mas nunca mais vamos desconfiar um do outro. Promete?

– Prometo.

Abraçaram-se e beijaram-se longamente, até uma das crianças vir mostrar o sapo que achara no banheiro.

– Você dorme aqui, hoje? – perguntou a mulher.

– Não. Tenho um compromisso na cidade amanhã cedo.

Voltou pra Porto Alegre no fim da tarde. Seu compromisso era naquela noite mesmo, e ela se chamava Maitê. Com a história do telefonema anônimo tinha conseguido um habeas-corpus preventivo. Que diabo, pensou, com o mundo neste estado, aquele podia ser o último verão da sua vida. Mas não conseguiu nem encarar o guarda no pedágio.

Zona Norte, Zona Sul

Aconteceu o seguinte: Vânia finalmente cedeu e concordou em se encontrar com Rogério num apartamento em Copacabana. Mas insistiu na segurança absoluta. Ninguém poderia vê-la chegar ou sair do prédio. Se o seu marido descobrisse, se o seu marido sequer desconfiasse... Rogério jurou que ninguém a veria.

– A rua tem pouco movimento. O porteiro é pago por mim para não enxergar nada. Os vizinhos de um lado só estão em casa de noite. Os vizinhos do outro lado nunca aparecem. Acho até que o apartamento está vazio. Não tem perigo. Confia em mim.

Combinaram a Operação Encontro – ou a Operação Até Que Enfim, como a chamou Rogério – minuciosamente. Ela diria ao marido que iria a Copacabana fazer compras. Contando o tempo de ida e volta ao Grajaú, de ônibus, eles teriam duas horas inteiras. Das seis às oito. Ela chegaria ao prédio sozinha, de óculos escuros e lenço na cabeça, e subiria ao seu apartamento. Ele estaria esperando. Certo? Vânia ainda hesitou.

– Ai, meu Deus. O Antônio. As crianças... Se alguém descobrir.

Ninguém ia descobrir. Ninguém ia vê-la. Teriam duas horas maravilhosas. Longe do mundo, longe dos olhos e das línguas do Grajaú. Vânia suspirou e cedeu. Seis horas, então.

Às seis horas, Vânia bateu na porta do apartamento de Rogério. Além dos óculos escuros e do lenço na cabeça, usava a gola do casaco virada para cima e uma manta tapando o nariz e a boca. Todos tinham se virado na rua para olhar aquela mulher tão agasalhada, apesar do calor, e esforçando-se para não ser notada.

11

Ela estava nervosa. "Ai meu Deus! Se o Antônio sabe..."

Rogério a acalmou. Levou-a para o quarto. Começaram a tirar a roupa. Nisso, ouviram um rebuliço no corredor. Gritos, correria. Vânia arregalou os olhos.

– É o Antônio!

– Não pode ser. Calma. Vou ver o que é.

Rogério já estava no meio da sala, de cuecas, quando ouviu baterem na porta. Com violência. Hesitou. Não podia ser o marido. Impossível. E aquela barulheira... Só se ele tivesse trazido todo o Grajaú com ele. Uma expedição punitiva pela honra do bairro. Vou ser linchado, pensou Rogério. Desmembrado pela classe média. Um mártir da nova moral. O primeiro santo pagão da Zona Sul... E então, entre batidas mais fortes na porta, ouviu:

– Abra! É a polícia! Abra senão arrombamos a porta!

Rogério abriu a porta. Foi jogado contra a parede por uma avalancha de homens armados de metralhadora, aos gritos. "Revistem tudo. Vejam na cozinha! Rápido!" Rogério gritou mais alto. Queria saber do que se tratava. O inspetor disse que tinham invadido o apartamento do Gatão, ao lado do seu, mas ele conseguira fugir pela área de serviço. Estava ali. E eles o pegariam. Gatão, o bandido mais procurado do Rio. Desta vez não escaparia.

Os policiais que entraram no quarto abriram a porta de um armário e encontraram Vânia, seminua e apavorada.

– Aqui está ele! – gritou um policial, exaltado, antes de se dar conta que não era o Gatão, era uma mulher, e soltá-la.

Vânia saiu correndo do quarto. Atravessou gritando a sala sem saber se tapava o rosto ou os seios. Entrou na cozinha e caiu nos braços do Gatão.

Quando Rogério e o inspetor irromperam na cozinha atrás dela, Gatão a segurava pelas costas e tinha a ponta de uma faca encostada na sua garganta.

– Mais um passo e eu furo! Mais um passo e eu furo!

O inspetor fez um gesto para deter os policiais que entravam na cozinha. Falou:

– Certo, Gatão. Certo. Não fura a dona. Vamos conversar.

Gatão mandou todo mundo sair da cozinha. Se comunicaria com eles por intermédio de Vânia. Enfiou a cabeça de Vânia pela porta entreaberta da cozinha e mandou que dissesse que ele exigia um carro para sair dali. Senão a degolaria. Vânia gaguejou. Não conseguia falar. Rogério disse:

– Calma, Vânia. Calma. Confia em mim.

Vânia finalmente conseguiu transmitir a exigência do bandi-do. O inspetor mandou dizer que estava certo. Providenciaria o carro. Mas precisava de tempo. Chegaram fotógrafos e repórteres. Quando Gatão empurrou a cabeça de Vânia para fora da cozinha outra vez, já havia uma equipe da TV com câmara portátil e refle-tores dentro do apartamento.

– E-ele di-diz que espera cinco minutos e s-só! – disse Vânia, apertando os olhos por causa dos refletores.

O repórter da TV colocou um microfone perto da sua boca. Gatão puxou Vânia para dentro da cozinha. Os repórteres entre-vistaram Rogério. Quem era a moça? "Uma amiga..." "Namora-da?" "Mais ou menos".

O inspetor mandou dizer ao Gatão que o carro estava pronto... Gatão saiu da cozinha com um braço em torno da cintura nua de Vânia e com a faca no seu pescoço. Se alguém se metesse, ele furava.

– Calma, Vânia. Calma. Confia em mim – disse Rogério. Ti-nha os olhos arregalados.

Gatão desceu com Vânia pela escada. A câmara da TV seguiu atrás. Na rua havia uma multidão. Um policial ia na frente afas-tando os curiosos.

– Para trás, senão ele fura a dona!

– É o Gatão! E o Gatão. Esse ninguém pega.

Gatão entrou com Vânia no carro. Mandou que o carro arran-casse.

No Grajaú, as crianças gritaram:

– Papai, olha a mamãe na televisão!

Em algum ponto do Estado do Rio, Gatão mandou que o car-ro parasse. Deu ordens ao chofer para apagar os faróis, esperar 15 minutos e depois dar o fora. Senão ele furava a Vânia. Desceu com Vânia do carro e a puxou através de um matagal na escuridão.

– Eles nunca vão me pegar. Nunca. Vou desaparecer.

Quando Gatão largou o pulso de Vânia e disse que ela estava

livre e que arranjasse uma maneira de voltar para casa, Vânia pensou no Antônio, pensou no Grajaú, e suplicou:

– Me leva com você! Me leva com você!

Hoje vive com Gatão em Rezende e jamais o trai. Aprendeu sua lição.

Ou então: Vânia só chegou em casa no outro dia de manhã. Pronta para tudo. Pronta para morrer. Merecia tudo que o Antônio faria com ela. Na calçada, em frente à sua casa, ouviu o comentário de uma vizinha:

– Aí, hein, Vânia? Na televisão.

As crianças vieram correndo, excitadas:

– Mamãe! Você apareceu na televisão!

E atrás das crianças veio o Antônio, orgulhoso, sorridente.

– Na televisão, hein? Sim, senhora. Parecia a Dina Sfat!

O DIA DA AMANTE

Já existe dia de quase tudo. Ou quase todos. Começou com o Dia das Mães. Um americano, cujo nome até hoje é reverenciado onde quer que diretores lojistas se reúnam, mas que no momento me escapa, foi o inventor do Dia das Mães. Fez isso pensando na própria mãe. Naquela mulher extraordinária que o carregara no ventre durante nove meses sem cobrar um tostão, que o amamentara, que o embalara em seu berço, costurara a sua roupa, forçara óleo de rícino pela sua goela abaixo e uma vez, quando o descobrira dando banho no cachorro no panelão de sopa, quebrara uma colher de pau na sua cabeça. Sim, aquela mulher que se sacrificara por ele sem pedir nada de volta, mas que agora exigia uma mesada maior porque estava perdendo demais nos cavalos. De nada adiantara o seu protesto.

– Não posso, mamãe. Os negócios não vão bem.

– Não interessa.

– Nós só ganhamos dinheiro mesmo no Natal. No resto do ano...

E então o rosto dele se iluminara. Tivera uma idéia. A mãe não entendeu e espalhou para os seus amigos no hipódromo que o filho finalmente perdera o juízo que tinha. Mas a idéia era brilhante. Ele a apresentou numa reunião de varejistas naquele mesmo dia.

– Precisamos criar dois, três, muitos Natais!

– Espera aí – disse alguém. – Mas só houve um Jesus Cristo.

– E os apóstolos? São doze apóstolos. Cada um também não tinha o seu aniversário?

– Mas ninguém sabe o dia.

– Melhor ainda. Inventaremos, todo mês, o aniversário de um apóstolo. Teremos natais o ano inteiro!

Mas a idéia não agradou. Apóstolo não tinha o apelo de vendas de um Jesus Cristo. Mesmo assim, a idéia de criar outras datas para os fregueses se darem presentes era boa. Era preciso motivar as pessoas. Era preciso forçar as vendas. Era preciso ganhar mais dinheiro. Nem que fosse para a mãe perder nos cavalos.

– Aquela bruxa velha – murmurou ele.

– O que foi?

– Estava pensando na mãe.

– A mãe! É isso!

– O quê?

– A mãe! O Dia das Mães. Você é um gênio!

Foi um sucesso. Ninguém podia chamar aquilo de oportunismo comercial, pois ser contra o Dia das Mães equivaleria a ser contra a Mãe como instituição. Isto chocaria a todos, principalmente às mães. Que, como se sabe, formam uma irmandade fechada com ramificações internacionais. Como a Máfia. As mães também oferecem proteção e ameaçam os que se rebelam contra elas com punições terríveis que vão da castração simbólica à chantagem sentimental. Pior que a Máfia, que só joga as pessoas no rio com um pouco de cimento em volta.

O Dia dos Pais também nasceu nos Estados Unidos, mas custou a aparecer devido ao puritanismo que, sabidamente, influenciou a história americana durante anos. Foi só na década de 20 deste século que os americanos estabeleceram uma relação entre o ato sexual e a procriação de filhos. Até então julgava-se que as mães geravam os filhos sozinhas e que o sexo, como a bebida e um joguinho de cartas, era apenas uma coisa que os homens gostavam de fazer aos sábados. Instituída a proibição do sexo em todo o território nacional – a chamada Lei Neca, uma corolária da Lei Seca – notou-se uma acentuada queda no número de nascimentos. Concluiu-se então que o homem era importante. A nova importância atribuída ao homem foi veementemente combatida pelas mulheres da época e até hoje existem bolsões de resistência. Muitas mulheres consideram os homens perfeitamente dispensáveis no mundo, a não ser naquelas profissões reconhecidamente masculinas, como as de costureiro, cozinheiro, cabeleireiro, decorador de interiores e estivador. Estabelecido o papel essencial do homem na constituição da família, no entanto, não tardou para que os varejistas lançassem o Dia dos Pais – também chamado, por alguns homens, de Dia do Papai Aqui e por algumas mulheres, com um sorriso secreto, de Dia do Pai Presumível. Outro sucesso de vendas.

Dia da Secretária. Este também teve uma origem curiosa. Segundo algumas versões, ele começou no Brasil, quando uma mulher descobriu na agenda do marido a seguinte inscrição: "Flores e bombons para a Bete. Mandar entregar no motel".

– Quem é essa Bete? – perguntou a mulher com fingido desinteresse, sacudindo o marido pelo pescoço.

– Ora, quem é a Bete. É a Dona Elizabete, minha secretária. Você conhece ela!

– Conheço e sei que o aniversário dela já passou. Por que as flores e os bombons?

– Onde é que você viu isso?

– Na sua agenda.

– E Você viu a data na agenda?

– O que é que tem a data?

– É o Dia da Secretária.

– Nunca ouvi falar.

– Foi recém-inventado – disse o marido, que tinha inventado naquele minuto.

– E o motel? Por que entregar no motel?

– A dona Elizabete está morando no motel, provisoriamente, até que terminem os reparos na sua casa.

– O que houve com a casa dela?

– Você não soube? Foi arrasada por uma manada de elefantes.

– Você espera que eu acredite nisso?!

– Meu bem, eu inventaria uma história destas?

– É, acho que não. Desculpe, querido.

– Está desculpada. Agora largue o meu pescoço.

Por que não um Dia dos Amantes? Já existe o Dia dos Namorados e hoje em dia a diferença entre namorado e amante tornou-se um pouco vaga. Quando é que namorados se transformam em amantes? Segundo uma moça, experimentada na questão, que consultamos, se a mulher der para o mesmo homem mais de dezessete vezes seguidas ele deixa de ser seu namorado e, tecnicamente, passa a ser seu amante. Os critérios variam, no entanto. Em certas regiões, só depois de dormirem juntos dois anos é que namorados se tornam legalmente amantes. Alguns estabelecem um meio-termo razoável: dezessete vezes ou dois anos, o que vier primeiro. Outros afirmam que a diferença está no grau de intimidade dos dois tipos de relacionamento. Num caso, as pessoas vão para qualquer lugar onde haja camas – apartamento, hotel, ou motel, sendo desaconselháveis hospitais, quartéis e lojas de móveis – tiram a roupa um do outro, às vezes usando só os dentes, atiram-se na cama, rolam de um lado para o outro enfiam-se os dedos no orifício que estiver por perto, lambem-se, chupam-se, com ou sem canudinho, massageiam-se mutuamente com Chantibon, depois o homem penetra o corpo da mulher com o seu órgão intumescido e os dois corpos movem-se em sincronia até o orgasmo simultâneo entre gritos e arranhões. Então se separam, suados, e vão tomar um banho juntos antes de saírem para a rua. Quer dizer, uma coisa superficial e corriqueira. Já o namoro, não. No namoro, não apenas o órgão intumescido mas todo o corpo do namorado penetra na própria casa da namorada todas as quartas-feiras. Eles se sentam lado a lado num sofá quente, coxa a coxa, e chegam a entrelaçar os dedos das mãos. Muitas vezes comem a ambrosia preparada pela mãe da moça com a mesma colher, gemendo baixinho. Existe ainda o prazer indescritível de roçar com o braço o lado do seio da namorada, enquanto se conversa sobre futebol com o pai dela, um prazer que aumenta se, por sorte, estiver com um daqueles sutiãs pontudos usados pela última vez no Ocidente por Terry Moore, em 1953. A namorada, não o pai dela. Isto é que é intimidade.

Existem outros critérios para diferenciar namorado de amante. Amante é o namorado que leva pijama, por exemplo. Uma maneira certa de saber que o namorado já é amante é quando, pela primeira vez, em vez de dar um par de meias para ele no Dia dos Namorados, ela dá um par de cuecas. E você terá certeza de que

18

ele é amante quando alguém sugerir que ela lhe dê um certo tipo de cuecas e ela responder, distraidamente: "Esse tipo ele já tem..."

Mas estamos falando de namorados, ou amantes, solteiros. No caso do homem casado e com uma amante a coisa se torna mais complicada e pouco invejável. No caso do homem casado e com várias amantes, se toma mais complicada ainda e mais invejável. Antes de lançar o Dia dos Amantes os lojistas teriam que fazer uma pesquisa de mercado. O que despertaria a desconfiança dos entrevistados.

– O Senhor tem amante?

– Foi a minha mulher que o mandou?

– Estamos fazendo uma pesquisa de mercado e...

– Onde é que está o microfone? É chantagem, é?

– Não, cavalheiro. Nós...

– Está bem, está bem. Tem uma moça que eu vejo. Mas nem se pode chamar de amante. Pelo amor de Deus! É só meia hora de três em três dias. E ela é bem baixinha. "Amante" seria um exagero. Mas eu prometo parar!

Uma vez decidido o lançamento do Dia dos Amantes, as agências de propaganda teriam que escolher a estratégia de marketing, ou, como se diz em português, o approach.

O tom das pecas publicitárias variariam, é claro, de acordo com o tipo de comércio. As lojas de eletrodomésticos poderiam anunciar: "Tudo para o seu segundo lar". Ou então: "Faça-a se sentir como a legítima. Dê a ela uma máquina de lavar roupa". As joalherias enfatizariam sutilmente o espírito de revanchismo do seu público-alvo, sugerindo: "Aquele diamante que sua mulher vive pedindo... dê para a sua amante". Ou, pateticamente: "Já que ela não pode ter uma aliança, dê um anel..." Perfume: "Para que você nunca confunda as duas, dê Furor só para a outra..." Utilidades: "No dia dos amantes, dê a ela um despertador. Assim você nunca se arriscará a chegar tarde em casa".

Os comerciais para a televisão poderiam explorar alguns lugares-comuns. Por exemplo: homem entra no quarto e encontra amante na cama. Atira um presente no seu colo. Isso a faz se lembrar de uma coisa. Ela abre a gaveta da mesa de cabeceira e tira um presente também. Ele vai pegar, mas o presente não é pra ele.

Ela levanta da cama, abre o armário e dá o presente para o seu amante escondido lá dentro. Congela a imagem. Sobrepõe logotipo do anunciante e a frase: "Neste Dia dos Amantes, dê uma surpresa". Hein? Hein? Está bem, era só um exemplo.

As confusões seriam inevitáveis. Marido e mulher se encontram numa loja de *lingerie*. Espanto da mulher:
– Você aqui?
Marido:
– Ahm, hum, hmmm, sim, ohm, ahm, ram.
– E escolhendo uma camisola!
– É que, ram, rom, ham, ahm, grum. Certo. Quer dizer...
– Você pode me explicar o que está havendo?
– Grem, grum rahm, rohrn, ahn...
– Não vai me dizer que estava comprando pra mim. Há anos que não uso camisola. Ainda mais desse tipo, preta, transparente e com decote até o umbigo.
– Eu posso explicar.
– Então explique.
– Ahm, rom, rum, rahm, grums.
– Explique melhor.
– Está bem! É para mim, está entendendo agora? Para mim!
– Você? Mas...
– Há anos que eu tento esconder isto de você. Agora você me pegou e eu vou revelar tudo. Adoro dormir de renda preta! Só me controlei até hoje por causa das crianças!
Ela compreende. Tenta acalmá-lo. Mas ele agora está agitado. Bate no balcão e grita:
– Também quero ligas vermelhas, um chapelão e chinelos de pompom grená!
Ela o leva para casa, cheia de resignada compreensão. A amante ficará sem o seu presente do Dia das Amantes, mas pelo menos o marido terá evitado qualquer suspeita. O único inconveniente é que terá de dormir de camisola preta pelo resto da sua vida conjugal.
Por que não um Dia dos Amantes? Você teria que tomar certas precauções, além de jamais entrar numa loja de *lingerie*. Como uma ausência sua em casa no Dia dos Amantes despertaria des-

confiança, telefone para casa antes de ir festejar com a amante.

– Alô, a patroa está?

– Não, senhor.

– Estranho. Ela costuma estar em casa a esta hora. Mas é melhor assim. Diga para ela que eu vou me atrasar um pouco. Estou no hospital para curativos. Nada grave. Fui atropelado por uma manada de elefantes.

– Sim, Senhor.

Você se dirige para a casa da amante, com o embrulho do presente embaixo do braço. Começa a pensar na ausência da sua mulher em casa. Onde ela teria ido? Lembra-se então de que a viu mais de uma vez olhando com interesse uma vitrine cheia de cachimbos. Na certa pensando num presente para lhe dar. E súbito você pára na calçada como se tivesse batido num elefante. Você não fuma cachimbo!

A Aliança

Esta é uma história exemplar, só não está muito claro qual é o exemplo. De qualquer jeito, mantenha-a longe das crianças. Também não tem nada a ver com a crise brasileira, *o apartheid*, a situação na América Central ou no Oriente Médio ou a grande aventura do homem sobre a Terra. Situa-se no terreno mais baixo das pequenas aflições da classe média. Enfim. Aconteceu com um amigo meu. Fictício, claro.

Ele estava voltando para casa como fazia, com fidelidade rotineira, todos os dias à mesma hora. Um homem dos seus quarenta anos, naquela idade em que já sabe que nunca será o dono de um cassino em Samarkand, com diamantes nos dentes, mas ainda pode esperar algumas surpresas da vida, como ganhar na loto ou furar-lhe um pneu. Furou-lhe um pneu. Com dificuldade ele encostou o carro no meio-fio e preparou-se para a batalha contra o macaco, não um dos grandes macacos que o desafiavam na jângal dos seus sonhos de infância, mas o macaco do seu carro tamanho médio, que provavelmente não funcionaria, resignação e reticências... Conseguiu fazer o macaco funcionar, ergueu o carro, trocou o pneu e já estava fechando o porta-malas quando a sua aliança escorregou pelo dedo sujo de óleo e caiu no chão. Ele deu um passo para juntar a aliança do asfalto, mas sem querer a chutou. A aliança bateu na roda de um carro que passava e voou para um bueiro. Onde desapareceu diante dos seus olhos, nos quais ele custou a acreditar.

Limpou as mãos o melhor que pôde, entrou no carro e seguiu para casa. Começou a pensar no que diria para a mulher. Imaginou a cena. Ele entrando em casa e respondendo às perguntas da mulher antes de ela fazê-las.

– Você não sabe o que me aconteceu!

– O quê?

– Uma coisa incrível.

– O quê?

– Contando ninguém acredita.

– Conta!

– Você não nota nada de diferente em mim? Não está faltando nada?

– Não.

– Olhe.

E ele mostraria o dedo da aliança, sem a aliança.

– O que aconteceu?

E ele contaria. Tudo, exatamente como acontecera. O macaco. O óleo. A aliança no asfalto. O chute involuntário. E a aliança voando para o bueiro e desaparecendo.

– Que coisa – diria a mulher, calmamente.

– Não é difícil de acreditar?

– Não. É perfeitamente possível.

– Pois é. Eu...

– SEU CRETINO!

– Meu bem...

– Está me achando com cara de boba? De palhaça? Eu sei o que aconteceu com essa aliança. Você tirou do dedo para namorar. E ou não é? Para fazer um programa. Chega em casa a esta hora e ainda tem a cara-de-pau de inventar uma história em que só um imbecil acreditaria.

– Mas, meu bem...

– Eu sei onde está essa aliança. Perdida no tapete felpudo de algum motel. Dentro do ralo de alguma banheira redonda. Seu sem-vergonha!

E ela sairia de casa, com as crianças, sem querer ouvir explicações.

Ele chegou em casa sem dizer nada. Por que o atraso? Muito trânsito. Por que essa cara? Nada, nada. E, finalmente:

– Que fim levou a sua aliança?

E ele disse:

– Tirei para namorar. Para fazer um programa. E perdi no motel. Pronto. Não tenho desculpas. Se você quiser encerrar nosso casamento agora, eu compreenderei.

Ela fez cara de choro. Depois correu para o quarto e bateu com a porta. Dez minutos depois reapareceu. Disse que aquilo significava uma crise no casamento deles, mas que eles, com bom senso, a venceriam.

– O mais importante é que você não mentiu pra mim.

E foi tratar do jantar.

O MARIDO DO DR. POMPEU

Ninguém estranhou quando, depois de vinte e cinco anos de casamento, filhos criados, a mulher do dr. Pompeu pediu divórcio. As razões dela eram normais para a época: não queria mais ser apenas uma dona de casa. Queria viver sua própria vida, estudar psicologia, ter sua própria carreira. Tudo bem. O escândalo, para mostrar como ainda existem preconceitos, foi quando souberam que o dr. Pompeu, em vez de outra mulher, arranjara um marido.

– Quem diria, hein? O Pompeu.

A própria mulher foi pedir satisfações.

– Pompeu, você enlouqueceu?

– Por quê?

– Todos estes anos, eu nunca desconfiei que você fosse... desses.

– Desses o quê?

– Você sabe muito bem. Um...

A mulher se calou porque nesse exato momento chegou em casa o marido do dr. Pompeu. Um homem apenas um pouco mais velho do que ele, grisalho, ar respeitável. Um empresário de muito conceito.

– Alô... – disse o marido do dr. Pompeu, um pouco constrangido.

– Oi! – disse o dr. Pompeu, alegremente.

– Boa tarde – disse a mulher, seca.

O marido do dr. Pompeu foi tomar seu banho, ouvindo a promessa do dr. Pompeu que o jantar estaria na mesa num instantinho. Quando a mulher ia recomeçar a falar, o dr. Pompeu a deteve com um gesto.

– Não é nada do que você está pensando – disse.

– Que eu estou pensando, não, Pompeu. Que todo mundo está pensando.

– Nós temos um acordo. Eu cuido da casa para ele, supervisiono o trabalho das empregadas; faço as compras, faço tudo para que ele tenha uma vida doméstica organizada e feliz. Em troca, ele me sustenta. Não temos nenhum contato sexual porque nenhum de nós é, como você disse com tanta eloqüência, desses.

– Mas Pompeu...

– Eu não tenho do que me queixar. Meu padrão de vida melhorou. Ele me dá dinheiro para tudo que eu preciso. Inclusive, aliás, para pagar a sua pensão. E hoje eu posso fazer o que sempre sonhei. Não trabalho, não me preocupo com as contas, com a segurança da família, com todas essas coisas de homem. E o melhor: quando tenho que descrever minha profissão, posso botar "Do lar".

– Mas Pompeu!

– E agora me dá licença que preciso tratar do nosso jantar. Depois do jantar ele vê o *Jornal Nacional* e eu fico esperando a hora da minha novela. Passe bem.

CONVENÇÕES

A classe média é uma terra estranha.

A Mirtes não se agüentou e contou para a Lurdes:

– Viram teu marido entrando num motel.

A Lurdes abriu a boca e arregalou os olhos. Ficou assim, uma estátua do espanto, durante um minuto, um minuto e meio. Depois pediu detalhes. Quando? Onde? Com quem?

– Ontem. No Discretissimu's.

– Com quem? Com quem?

– Isso eu não sei.

– Mas como? Era alta? Magra? Loira? Puxava de uma perna?

– Não sei, Lu.

– O Carlos Alberto me paga. Ah, me paga.

Quando o Carlos Alberto chegou em casa a Lurdes anunciou que iria deixá-lo. E contou por quê.

– Mas que história é essa, Lurdes? Você sabe quem era a mulher que estava comigo no motel. Era você.

– Pois é. Maldita hora em que eu aceitei ir. Discretissimu's! Toda a cidade ficou sabendo. Ainda bem que não me identificaram.

– Pois então?

– Pois então que eu tenho que deixar você. Não vê? É o que todas as minhas amigas esperam que eu faça. Não sou mulher de ser enganada pelo marido e não reagir.

– Mas você não foi enganada. Quem estava comigo era você!

– Mas elas não sabem disso!

– Eu não acredito, Lurdes. Você vai desmanchar nosso casamento por isso? Por uma convenção?

– Vou.

Mais tarde, quando a Lurdes estava saindo de casa, com as malas, o Carlos Alberto a interceptou. Estava sombrio.

– Acabo de receber um telefonema – disse. – Era o Dico.

– O que ele queria?

– Fez mil rodeios, mas acabou me contando. Disse que, como meu amigo, tinha que contar.

– O quê?

– Você foi vista saindo do motel Discretissimu's ontem, com um homem.

– O homem era você.

– Eu sei, mas eu não fui identificado.

– Você não disse que era você?

– O quê? Para que os meus amigos pensem que eu vou a motel com a minha própria mulher?

– E então?

– Desculpe, Lurdes, mas...

– O quê?

– Vou ter que te dar um tiro.

O Dado, dezesseis anos, informou ao Caco, quinze, e ao Marcelinho, quatorze: "É hoje". Os pais dele iam passar o fim de semana fora. A casa estaria livre. As condições eram perfeitas. "Oba!", disse o Caco esfregando as mãos. O Marcelinho ficou mudo.

Já tinham escolhido o anúncio: "Samantha – Massagem para executivos. Atende a domicílio". O Dado telefonou. Afinal, era o dono da casa. Enquanto o Dado telefonava, o Marcelinho falou para o Caco:

– Será que não vai dar galho?

– Que galho pode dar?

O Dado desligou o telefone.

– Ela vem! Às 10.

– Como era a voz dela? Como era a voz? – quis saber o Caco.

– Tipo Maria Zilda.

– Ai.

– Ela não desconfiou? – perguntou o Marcelinho.

– Do quê?

– De que nós não somos executivos?

O Dado e o Caco deram uma gargalhada e foram investigar o estoque de bebidas da casa. O Marcelinho anunciou: "Vou dar um pulo até em casa". E saiu correndo pela porta.

– Rá! – disse o Dado. – Esse não volta mais.

– Eu sabia. Estava todo nervosão.

Às 5 para as 10 a campainha da porta tocou.

– É ela!

Mas não era a Samantha. Era o Marcelinho. De terno e gravata.

– Pra que isso?

– Sei lá. Por via das dúvidas.

E ficou sentado numa poltrona, muito sério, esperando a Samantha.

O VERDADEIRO JOSÉ

José morreu, com justeza poética, num avião da ponte aérea, a meio caminho entre São Paulo e Rio. Coração. Morreu de terno cinza e gravata escura, segurando a mesma pasta preta com que desembarcara no Santos Dumont todas as segundas-feiras, durante anos. Só que desta vez a pasta preta desembarcou sobre o seu peito, na maca, como uma lápide provisória.

– O velho Paulista... – disseram seus colegas de trabalho, no velório, lamentando a perda do companheiro tão sério, tão eficiente, tão trabalhador. Seu apelido no Rio era Paulista.

A mulher e o filho de 18 anos mantiveram uma linha de sóbria resignação durante todo o velório. Aquele era o estilo de José. Nada de arroubos ou demonstrações de sentimento. Sobriedade. Foi idéia do filho que o enterrassem de colete.

– A verdade – cochichou um dos sócios de José na empresa – é que ele nunca se adaptou aos hábitos cariocas...

– Sempre foi um paulista desterrado – concordou alguém.

– Desterrado? – estranhou um terceiro. – Mas vivia lá e cá...

Foi nesse ponto que entraram no velório, aos prantos, uma senhora e uma moça, ambas vestindo *jeans* iguais e carregando as grandes bolsas de couro com que tinham viajado de São Paulo.

– Carioca! – gritou a mais velha, precipitando-se na direção do caixão. – É você, Carioca?

– Papai! – gritou a mais moça, debruçando-se sobre o solene defunto.

Consternação geral.

Dr. Lupércio, o advogado da família, conseguiu que as duas mulheres de José se reunissem em algum lugar afastado da câmara ardente. O mais difícil foi arrancar a segunda mulher – na ordem de chegada ao velório – de cima do caixão. Em pouco tempo confirmou-se o óbvio. José tinha outra família em São Paulo. A filha tinha 15 anos. A mulher do Rio foi seca:

– A legítima sou eu.

– Meu bem... – começou a dizer a outra.

– Não me chame de seu bem. Nós nem nos conhecemos.

– Calma, calma – pediu o dr. Lupércio.

– Agora eu sei por que o Carioca nunca quis me trazer ao Rio... – disse a outra.

– O nome dele é José. Ou era, até acontecer isto – disse a primeira, não se sabendo se falava da morte ou da descoberta da segunda família.

– Lá em São Paulo toda a turma chama ele de Carioca.

– "Turma"? – estranhou a primeira. No Rio eles não tinham turma. Raramente saíam de casa. Um ou outro jantar em grupo pequeno. Concertos, às vezes. Geralmente estavam na cama antes das dez.

Na câmara ardente, o filho de José evitava o olhar da sua meia-irmã. Os dois eram parecidos. Tinham os traços do pai. A moça, com os olhos ainda cheios de lágrimas, comentara que aquela era a primeira vez que via o pai de gravata. O filho ia dizer que não se lembrava de jamais ter visto o pai sem gravata, mas achou melhor não dizer nada. Era uma situação constrangedora.

– Pobre do papai – disse a moça, soluçando. – Sempre tão brincalhão...

O filho entendia cada vez menos.

O apelido dele, em São Paulo, era Carioca. Descia em Congonhas todas as quintas-feiras de camisa esporte. No máximo com um pulôver sobre os ombros. Uma vez chegara até de bermudas e chinelos de dedo. Gostava de encher o apartamento de amigos, ou sair com a turma para um restaurante ou uma boate. E se alguém ameaçasse ir embora, dizendo que "amanhã é dia de trabalho", ele berrava que paulista não sabia viver, que paulista só pensava em dinheiro, que só carioca sabia gozar a vida. Com sua alegre infor-malidade, fazia sucesso entre os paulistas. Inclusive nos negócios, apesar do mal-estar que causava sua camisa aberta até o umbigo, em certas salas de reuniões. Todas as segundas-feiras voava para o Rio. Dizia que precisava pegar uma praia, respirar um pouco.

– Você não estranhava quando ele voltava do Rio branco da-quele jeito? – perguntou a legítima.
– Ele dizia que não adiantava pegar uma cor na praia, ficava branco assim que pisava em Congonhas – disse a outra.
As duas sorriram.

Mais tarde, em casa, o dr. Lupércio refletiu sobre o caso.
– Um herói de dois mundos – sentenciou.
A mulher, como sempre, não estava ouvindo. O dr. Lupércio continuou:
– No Rio, era o paulista típico. Uma caricatura. Sim, é isto!
O dr. Lupércio sempre se agitava quando pegava uma tese no ar com seus dedos compridos. Era isso. No Rio, ele era uma carica-tura paulista. A imagem carioca do paulista. Em São Paulo era o contrário.
– E mais. Quando fazia o papel do paulista proverbial, no Rio, era gozação. Quando fazia o carioca em São Paulo, era estratégia de venda.
O advogado, no seu entusiasmo, apertou com força o braço da mulher, que disse "Ai, Lupércio!".
– Você não vê? Ele estava sendo cariocamente malandro quando fazia o paulista, e paulistàmente utilitário quando fazia o carioca. Um gigolô do estereótipo! Uma síntese brasileira! Mas qual dos dois era o verdadeiro José?

Duas viúvas dormiam sozinhas. A do Rio sem o seu José, aquela rocha de critérios e responsabilidades em meio a inconse-qüência carioca. A de São Paulo sem o seu Carioca, aquele sopro de ar marinho no cinza paulista.
As duas suspiraram.

FARSA

Quando ouviu o ruído da porta do apartamento sendo aberta a mulher soergueu-se ligeiro na cama e disse, ela realmente disse:

– Céus, meu marido!

O amante ergueu-se também, espantado, menos com o marido do que com a frase.

– O que foi que você disse?

– Eu disse "Céus, meu marido!"

– Foi o que eu pensei, mas não quis acreditar.

– Ele me disse que ia para São Paulo!

– Talvez não seja ele. Talvez seja um ladrão.

– Seria sorte demais. É ele. E vem vindo para o quarto. Rápido, esconda-se dentro do armário!

– O quê? Não. Tudo menos o armário!

– Então embaixo da cama.

– O armário é melhor.

O amante pulou da cama, pegou sua roupa de cima da cadeira e entrou no armário, pensando "isto não pode estar acontecendo". Começou a rir, descontroladamente. Até se lembrar que tinha deixado seus sapatos ao lado da cama. Ouviu a porta do quarto se abrir. E a voz do marido.

– Com quem é que você estava conversando?

– Eu? Com ninguém. Era a televisão. E você não disse que ia para São Paulo?

– Espere. Aqui no quarto não tem televisão.

– Não mude de assunto. O que é que você está fazendo em casa?

O amante começou a rir. Não podia se conter, mesmo sentindo que assim fazia o armário sacudir. Tapou a boca com a mão. Ouviu o marido perguntar:

– Que barulho é esse?

– Não interessa. Por que você não está em São Paulo?

– Não precisei ir, pronto. Estes sapatos...

O amante gelou. Mas o marido se referia aos próprios sapatos, que estavam apertados. Agora devia estar tirando os sapatos. Silêncio. O ruído da porta do banheiro sendo aberta e depois fechada. Marido no banheiro. O amante ia começar a rir outra vez quando a porta do armário se abriu subitamente e ele quase deu um berro. Era a mulher para lhe entregar seus sapatos. Ela fechou a porta do armário e se atirou de novo na cama antes que ele pudesse avisar que aqueles sapatos não eram os dele, eram os do marido. Loucura!

Porta do banheiro se abrindo. Marido de volta ao quarto. Longo silêncio. Voz do marido:

– Estes sapatos.. .

– O que é que tem?

– De quem são?

– Como, de quem são? São os seus. Você acabou de tirar.

– Estes sapatos nunca foram meus.

Silêncio. Mulher obviamente examinando os sapatos e dando-se conta do seu erro. O amante, ainda por cima, com falta de ar. Voz da mulher, agressiva:

– Onde foi que você arranjou estes sapatos?

– Estes sapatos não são meus, eu já disse!

– Exatamente. E de quem são? Como é que você sai de casa com um par de sapato e chega com outro?

– Espera aí...

– Onde foi que você andou? Vamos, responda!

– Eu cheguei em casa com os mesmos sapatos que saí. Estes é que não são os meus sapatos.

– São os sapatos que você tirou. Você mesmo disse que estavam apertados. Logo, não eram os seus. Quero explicações.

– Só um momentinho. Só um momentinho!

Silêncio. Marido tentando pensar em alguma coisa para dizer. Finalmente, a voz da mulher, triunfante:

– Estou esperando.

Marido reagrupando as suas forças. Passando para o ataque.

– Tenho certeza absoluta – absoluta! – que não entrei neste quarto com estes sapatos. E olhe só, eles não podiam estar apertados porque são maiores do que o meu pé.

Outro silêncio. A mulher, friamente:

– Então só há uma explicação.

O marido:

– Qual?

– Eu estava com outro homem aqui dentro quando você chegou. Ele pulou para dentro do armário e esqueceu os sapatos.

Silêncio terrível. O amante prenderia a respiração se não precisasse de ar. A mulher continuou:

– Mas nesse caso onde é que estão os seus sapatos?

O homem, sem muita convicção:

– Você poderia ter entregue os meus sapatos para o homem dentro do armário, por engano.

– Muito bem. Agora, além de adúltera, você está me chamando de burra. Muito obrigada.

– Não sei não, não sei não. E eu ouvi vozes aqui dentro...

– Então faz o seguinte. Vai até o armário e abre a porta.

O amante sentiu que o armário sacudia. Mas agora não era o seu riso. Era o seu coração. Ouviu os pés descalços do marido aproximando-se do armário. Preparou-se para dar um pulo e sair correndo do quarto e do apartamento antes que o marido se recuperasse. Derrubaria o marido na passagem. Afinal, tinha os pés maiores. Mas a mulher falou:

– Você sabe, é claro, que no momento em que abrir essa porta estará arruinando o nosso casamento. Se não houver ninguém aí dentro, nunca conseguiremos conviver com o fato de que você pensou que havia. Será o fim.

– E se houver alguém?

– Aí será pior. Se houver um amante de cuecas dentro do armário, o nosso casamento se transformará numa farsa de terceira categoria. Em teatro barato. Não poderemos conviver com o ridículo. Também será o fim.

Depois de alguns minutos, o marido disse:

– De qualquer maneira, eu preciso abrir a porta do armário para guardar a minha roupa...

– Abra. Mas pense no que eu disse.

Lentamente, o marido abriu a porta do armário. Marido e amante se encararam. Nenhum dos dois disse nada. Depois de três ou quatro minutos o marido disse: "Com licença" e começou a pendurar sua roupa. O amante saiu lentamente de dentro do armário, também pedindo licença, e se dirigiu para a porta. Parou quando ouviu um "psiu". Disse:

– É comigo?

– É – disse o marido. – Os meus sapatos.

O amante se lembrou que estava com os sapatos errados na mão, junto com o resto da sua roupa. Colocou os sapatos do marido no chão e pegou os seus. Saiu pela porta e não se falou mais nisso.

As Noivas do Grajaú

Acho que todos deviam ter uma noiva no Grajaú, principalmente os homens casados. Antes que me acusem de incentivar o adultério e a licenciosidade suburbana, esclareço que minha noiva do Grajaú é puramente teórica. E note que falo em noiva, não em amante. As noivas do Grajaú são castas e recatadas. Só deixam pegar na mão e assim mesmo com recomendações. Aquele montinho de carne na base do dedão, por exemplo, só depois de casados.

Você leva duas semanas para encostar, não na noiva do Grajaú, mas no portão da sua casa. Se tocar no seu cotovelo, soa um alarme dentro da casa e o irmão dela, ex-pára-quedista, vem ver o que está acontecendo. Um homem casado que tem uma noiva no Grajaú é mais fiel à sua mulher do que a sua mulher merece. É quase indispensável para a felicidade de um casamento que o marido tenha uma noiva no Grajaú e a visite diariamente das 5 às 6. Menos às quintas, quando ela tem aula de piano.

Como explicar o fascínio das noivas do Grajaú? Não haverá, na sua relação com ela, qualquer promessa sexual. Com sorte, depois de um ano e meio de noivado firme, você morderá a sua orelha. E ela pedirá que você nunca mais faça isso porque ela sente muitas cócegas, e, olha aí, quase perdeu um brinco. Um dia, quando conseguir convencer o ex-pára-quedista a deixá-la ir com você até ao bar da praça tomar uma Mirinda, você conseguirá intrometer uma mão nervosa entre o seu braço nu e a blusa até quase em cima, mas aí ela apertará o braço contra o corpo com força e você temerá a gangrena nos dedos.

E a conversa? A coisa mais íntima que ela perguntará a você será:

– Acompanhas alguma novela?

Você experimentará com assuntos mais conseqüentes.

– És ciumenta?

Ou, afoitamente:

– Qual é teu sabonete?

Mas ela repelirá todas as tentativas de uma conversa séria. Até rirá quando você tentar ser poético, pomba!

– Esta hora, este crepúsculo, sei lá...

Ela se dobrará de tanto rir. E a mãe dela aparecerá na janela para ver se você não avançou na orelha outra vez.

A vigilância é constante. O pai dela – aposentado, espiritualista – usa um coldre preso à cinta. O coldre está vazio, mas o seu tamanho é eloqüente: em algum lugar está guardada a grande arma com que ele zela pelo seu patrimônio, incluindo a virgindade da filha e uma coleção encadernada de Malba Tahan. Na única vez em que conversar com ele você ficará sabendo que ele já expeliu 17 pedras pela uretra e foi militante da UDN. Cuidado. A mãe tem bigode. Seus olhos pretos na janela são como dois faróis que guiam a virtude de Grajaú para a cama, intacta, todas as noites.

– Sua mãe não vê novela?

– Só a das oito.

– Não tem o que fazer na cozinha?

– Temos empregada.

– Ela não...

Mas a mãe interrompe:

– Olha esses cochichos, olha esses cochichos...

As noivas do Grajaú têm um irmão menor que se diverte tentando chutar você nas canelas. Um dia ele erra, acerta o muro e vai correndo dizer para a mãe que você lhe bateu.

É uma provação noivar no Grajaú. Por que você insiste?

As noivas do Grajaú têm amigas que passam em bandos pela calçada de braços dados e rindo, você não tem a menor dúvida, de você.

É demais. Você não precisa disso. O casamento está fora de questão. Você já é casado. Ou tem outra noiva em algum bairro onde a vigilância é menor e o acesso é mais fácil. Mas você persiste. O fascínio é irresistível. Às seis em ponto, a mãe dela acende a luz do alpendre. É o sinal para você ir embora. Você jura que nunca mais volta.

Mas aí ela cospe fora o chiclete e pergunta:

– Amanhã você vem?

E você vai.

A Mulher do Silva

Foi um escândalo quando a frente da casa do Souza apareceu pintada, certa manhã, com uma frase sucinta sobre a, digamos assim, conduta moral da mulher do Silva, que morava em frente. O Silva, indignado, foi perguntar ao Souza:

– Quem foi?

– Não sei.

– Como, não sabe? A casa é sua.

– Não posso ficar na calçada cuidando pra não pintarem a fachada. Posso?

Não podia. Mas aquilo não ia ficar assim. Pior era que a frase nem citava a mulher do Silva pelo nome. Ela era identificada como "a mulher do Silva". E, para que não ficassem dúvidas: "...da frente".

– Apaga – pediu o Silva.

– Como?

– Com tinta branca. Pinta por cima.

– Mas a minha casa é amarela.

– Pinta de amarelo.

– Só uma faixa amarela? Vai ficar horrível.

– Então pinta a casa toda.

– E cadê o dinheiro?

– Eu exijo que você pinte a casa toda.

– Só se você me der o dinheiro.

– A casa é sua.

– Mas a mulher é sua.

Silva concordou. Pagou uma pintura completa da casa do Souza. Só reagiu quando o Souza sugeriu que ele pagasse também uma pintura interna, que estava precisando. O Silva pediu que o Souza não contasse para ninguém. Mas a notícia se espalhou pela vizinhança. E, não demorou muito, a casa do Moreira, que estava com a tinta descascando, apareceu com uma frase na frente sobre certos supostos hábitos da mulher do Silva. O Silva foi lá.

– Quem foi?

– Sei lá. Moleques.

– Apaga.

– Não sai.

– Pinta por cima.

– Só pintando a casa toda...

Quando saiu da casa do Moreira, depois de ter concordado em financiar uma pintura completa, o Silva viu que na frente da casa do Santos, ao lado, estava escrito:

"Dou fé." Já entrou direto na casa dos Santos para combinar o preço.

O quarteirão até ficou bonito, com as casas pintadas de novo. Algumas casas, é claro, ainda têm a pintura antiga. E todas as manhãs o Silva as examina, prevendo o pior. Se bem que, segundo alguns, ele também devia vigiar a sua mulher.

CUECAS

Giselda confidenciou a Martô, sua melhor amiga, que nada no noticiário recente a abalara mais do que a volta à moda da cueca samba-canção.

– Não sei se você entende – disse Giselda.

– Eu entendo – disse Martô.

– O Júlio usa cueca samba-canção – disse Giselda.

– Eu sei – disse Martô.

– E isso me dava uma certa segurança. Entende?

Martô entendia. Era o fim da tarde. As duas tinham tirado os sapatos e estavam com os pés sobre a mesa do centro, na sala da Giselda. Jovens senhoras.

– Bobagem, claro – disse Giselda. – Mas, entende?

– Perfeitamente – disse Martô.

– Eram, assim, como um símbolo. As cuecas do Júlio. De estabilidade. De bom senso. Até de uma certa resignação diante da vida. Mas no bom sentido.

– Claro.

– Imagina se um dia ele me aparece de Zorba. De sunga. Colorida! Sinal de quê?

– Outra.

– Isso. Ou outras.

– Podes crer.

– Mas não. Ele insistia nas cuecas samba-canção. Até tinha horror a novas. Queria sempre as mesmas. Rasgadas, não importava. Você podia desconfiar de alguma coisa de um homem assim? Vou dizer uma coisa. Cueca é caráter.

– Quem vê cueca vê coração.

– Você acha que eu estou brincando?

– O que é isso? Eu estou concordando com você.

– Eu insistia para ele trocar de cuecas. Mas no fundo, no fundo gostava que ele fosse assim. E agora isso...

– O quê?

– As cuecas samba-canção na moda de novo. Entende?

– Anrrã.

– Ele não vai mais ter vergonha de tirar as calças na frente de outra.

– Ou outras.

– Ou outras. Pode até dizer que não tem culpa. Não foi ele que mudou, foi a moda. Continua o mesmo homem sério e conservador. Não foi ele que resolveu sair para a vida, a vida é que veio atrás dele. Vou ter que ficar de olho. Agora sim. Olho vivo. Ou eu estou exagerando?

– Não, não.

Depois que Martô saiu, Giselda foi tratar do jantar das crianças e do Júlio. Só horas mais tarde, vendo o filme na TV com o Júlio roncando ao seu lado, repassando a conversa daquela tarde, é que se deu conta. Telefonou para a Martô.

– Martô?

– O que é, Gi?

– O que é que você quis dizer com "eu sei"?!

QUINDINS

Quando sentiu que ia morrer, o dr. Ariosto pediu para falar a sós com a mulher, dona Quiléia (Quequé).

– Senta aí, Quequé.

Ela sentou na beira da cama. Protestou, chorosa, quando o marido disse que sabia que estava no fim. Mas o dr. Ariosto a acalmou. Os dois sabiam que ele tinha pouco tempo de vida e era melhor que enfrentassem a situação sem drama. Precisava contar uma coisa à mulher. Para morrer em paz. Contou, então, que tinha outra família.

– O que, Ariosto?!

Tinha. Pronto. Outra mulher, outros filhos, até outros netos. A dona Quiléia iria saber de qualquer maneira, pois providenciara para a outra no testamento. Mas tinha decidido contar ele mesmo. De viva, por assim dizer, voz. Para que não ficasse aquela mentira entre eles. E para que dona Quiléia fosse tolerante, com a sua memória e com a outra. Promete, Quequé? Dona Quiléia chorava muito. Só pôde fazer "sim" com a cabeça. Aliviado, o dr. Ariosto deixou a cabeça cair no travesseiro. Podia morrer em paz.

Mas aconteceu o seguinte: não morreu. Teve uma melhora surpreendente, que os médicos não souberam explicar e dona Quiléia atribui à promessa que fizera a seu santo. Em poucas semanas estava fora da cama. Ainda precisa de cuidados, é claro. Dona Quiléia tem que regular sua alimentação, dar remédio na hora certa... Ficam os dois sentados na sala, olhando a televisão, em silêncio. Um silêncio constrangido. O dr. Ariosto arrependido de ter feito a confissão. A dona Quiléia achando que não fica bem se aproveitar de uma revelação que o homem fez, afinal, no seu leito de morte. Simplesmente não tocam no assunto. No outro dia o dr. Ariosto teve permissão do médico para sair, pela primeira vez, de casa. Se arrumou. Pediu para chamarem um táxi.

– Quer que eu vá com você? – perguntou a mulher.

– Não precisa.

– Você demora?

– Não, não. Vou só...

Não completou a frase. Ficaram mais alguns instantes na porta, em silêncio. Depois ele disse:

– Bom. Tchau.

– Tchau.

Agora, tem uma coisa, dona Quiléia não pagou a promessa ao santo. Ainda compra quindins escondida e os come sozinha. Aliás, deu para comer quindões. Grandes, enormes, translúcidos quindões.

TRAPEZISTA

Querida, eu juro que não era eu. Que coisa ridícula! Se você estivesse aqui – Alô? Alô? – olha, se você estivesse aqui ia ver a minha cara, inocente como o Diabo. O quê? Mas como ironia? "Como o Diabo" é força de expressão, que diabo. Você acha que eu ia brincar numa hora desta? Alô! Eu juro, pelo que há de mais sagrado, pelo túmulo da minha mãe, pela nossa conta no banco, pela cabeça dos nossos filhos, que não era eu naquela foto de carnaval no "Cascalho" que saiu na *Folha da Manhã*. O quê? Alô! Alô! Como é que eu sei qual é a foto? Mas você não acaba de dizer... Ah, você não chegou a dizer. . . Ah, você não chegou a dizer qual era o jornal. Bom, bem. Você não vai acreditar, mas acontece que eu também vi a foto. Não desliga! Eu também vi a foto e tive a mesma reação. Que sujeito parecido comigo, pensei. Podia ser gêmeo. Agora, querida, nunca, em nenhum momento, está ouvindo? Em nenhum momento me passou pela cabeça a idéia de que você fosse pensar – querida, eu estou até começando a achar graça – que você fosse pensar que aquele era eu. Por amor de Deus. Pra começo de conversa, você pode me imaginar de pareô vermelho e colar havaiano, pulando no "Cascalho" com uma bandida em cada braço? Não, faça-me o favor. E a cara das bandidas! Francamente, já que você não confia na minha fidelidade, que confiasse no meu bom gosto, poxa! O quê? Querida, eu não disse "pareô vermelho". Tenho a mais absoluta, a mais tranqüila, a mais inabalável certeza que eu disse apenas "pareô". Como é que eu podia saber que era vermelho se a fotografia não era em cores, certo?

46

Alô? Alô? Não desliga! Não... Olha, se você desligar está tudo acabado. Tudo acabado. Você não precisa nem voltar da praia. Fica aí com as crianças e funda uma colônia de pescadores. Não, estou falando sério. Perdi a paciência. Afinal, se você não confia em mim não adianta nada a gente continuar. Um casamento deve se... se... como é mesmo a palavra?... se alicerçar na confiança mútua. O casamento é como um número de trapézio, um precisa confiar no outro até de olhos fechados. É isso mesmo. E sabe de outra coisa? Eu não precisava ficar na cidade durante o carnaval. Foi tudo mentira. Eu não tinha trabalho acumulado no escritório coisíssima nenhuma. Eu fiquei sabe para quê? Para testar você. Ficar na cidade foi como dar um salto mortal, sem rede, só para saber se você me pegaria no ar. Um teste do nosso amor. E você falhou. Você me decepcionou. Não vou nem gritar por socorro. Não, não me interrompa. Desculpas não adiantam mais. O próximo som que você ouvir será o do meu corpo se estatelando, com o baque surdo da desilusão, no duro chão da realidade. Alô? Eu disse que o próximo som que... O quê? Você não estava ouvindo nada? Qual foi a última coisa que você ouviu, coração? Pois sim, eu não falei – tenho certeza absoluta que não falei – em "pareô vermelho". Sei lá que cor era o pareô daquele cretino na foto. Você precisa acreditar em mim, querida. O casamento é como um número de... Sim. Não. Claro. Como? Não. Certo. Quando você voltar pode perguntar para o... Você quer que eu jure? De novo? Pois eu juro. Passei sábado, domingo, segunda e terça no escritório. Não vi carnaval nem pela janela. Só vim em casa tomar um banho e comer um sanduíche e vou logo voltar para lá. Como? Você telefonou para o escritório? Meu bem, é claro que a telefonista não estava trabalhando, não é, bem? Ha, ha, você é demais. Olha, querida? Alô? Sábado eu estou aí. Um beijo nas crianças. Socorro. Eu disse, um beijo.

INFIDELIDADE

– Eu jamais fui infiel a minha mulher, doutor.

– Sim.

– Aliás, nunca tive outra mulher. Casei virgem.

– Certo.

– Mas, desde o começo, sempre que estava com ela, pensava em outra. Era a única maneira que conseguia, entende? Funcionar.

– Funcionar?

– Fazer amor. Sexo. O senhor sabe.

– Sei.

– No princípio, pensava na Gina Lollobrigida. O senhor se lembra da Gina Lollobrigida? Por um período, pensei na Sofia Loren. Fechava os olhos e imaginava aqueles seios. Aquela boca. E a Silvana Mangano. Também tive a minha fase de Silvana Mangano. Grandes coxas.

– Grandes.

– Às vezes, para variar, pensava na Brigitte Bardot. Aos sábados, por exemplo. Mas para o dia-a-dia, ou noite-a-noite, preferia as italianas.

– Não há nada de anormal nisso. Muitos homens...

– Claro, doutor. E mulheres também. Como é que eu sei que ela não estava pensando no Raf Valone o tempo todo? Pelo menos eram da mesma raça.

– Continue.

– Tive a minha fase americana. A Mitzi Gaynor.

– Mitzi Gaynor?!

– Para o senhor ver. A Jane Fonda, quando era mais moça.

Algumas coelhinhas da *Playboy*. E tive a minha fase nacionalista. Sônia Braga. Vera Fischer. E então começou.

– O quê?

– Nada mais adiantava. Eu começava a pensar em todas as mulheres possíveis. Fechava os olhos e me concentrava. Nada. Eu não conseguia, não conseguia...

– Funcionar.

– Funcionar. Isso que nós já estávamos na fase da Upseola.

– Upseola?

– Uma por semana e olhe lá. Mas nada adiantava. Até que um dia pensei num aspirador de pó. E fiquei excitado. Por alguma razão, aquela imagem me excitava. Outro dia pensei num Studebaker 48. Deu resultado. Tive então a minha fase de objetos. Tentava pensar nas coisas mais estranhas. Um daqueles ovos de madeira, para cerzir meia. Me serviu duas vezes seguidas. Pincel atômico roxo. A estátua da Liberdade. A ponte Rio-Niterói. Tudo isto funcionou. Quando a minha mulher se aproximava de mim na cama eu começava, desesperadamente, a folhear um catálogo imaginário de coisas para pensar. O capacete do Kaiser? Não. Uma Singer semi-automática? Também não. Um acordeom! Mnn, sim, um acordeom, um tentador acordeom, quente, resfolegante... Mas, depois de um certo tempo, passou a fase das coisas. Tentei pensar em animais. Figuras históricas. Nada adiantava. E então, de repente, surgiu uma figura na minha imaginação. Uma mulher madura. O cabelo começando a ficar grisalho. Olhos castanhos... Era eu pensar nessa mulher e me excitava. Até mais de uma vez por semana. Até às segundas-feiras, doutor!

– E essa fase também passou?

– Não. Essa fase continua.

– Então, qual é o problema?

– O senhor não vê, doutor? Essa mulher que eu descrevi. É ela.

– Quem?

– A minha mulher. A minha própria mulher. Me ajude, doutor!

ENCONTROS
&
DESENCONTROS

AS TIME GOES BY

Conheci Rick Blaine em Paris, não faz muito. Ele tem uma espelunca perto da Madeleine que pega todos os americanos bêbados que o Harry's Bar expulsa. Está com 70 anos, mas não parece ter mais que 69. Os olhos empapuçados são os mesmos, mas o cabelo se foi e a barriga só parou de crescer porque não havia mais lugar atrás do balcão. A princípio ele negou que fosse Rick.

– Não conheço nenhum Rick.

– Está lá fora. Um letreiro enorme. Rick's Café Americain.

– Está? Faz anos que não vou lá fora. O que você quer?

– Um *bourbon*. E alguma coisa para comer.

Escolhi um sanduíche de uma longa lista e Rick gritou o pedido para um negrão na cozinha. Reconheci o negrão. Era o pianista do café do Rick em Casablanca. Perguntei por que ele não tocava mais piano.

– Sam? Porque só sabia uma música. A clientela não agüentava mais. Ele também faz sempre o mesmo sanduíche. Mas ninguém vem aqui pela comida.

Cantarolei um trecho de *As Time Goes By*. Perguntei:

– O que você faria se ela entrasse por aquela porta agora?

– Diria: "Um chazinho, vovó?" O passado não volta.

– Voltou uma vez. De todos os bares do mundo, ela tinha que escolher logo o seu, em Casablanca, para entrar.

– Não volta mais.

Mas ele olhou, rápido, quando a porta se abriu de repente. Era um americano que vinha pedir-lhe dinheiro para voltar aos Estados Unidos. Estava fugindo de Mitterrand. Rick o ignorou.

Perguntou o que eu queria além do *bourbon* e do sanduíche de Sam, que estava péssimo.

– Sempre quis saber o que aconteceu depois que ela embarcou naquele avião com Victor Laszlo e você e o inspetor Louis se afastaram, desaparecendo no nevoeiro.

– Passei quarenta anos no nevoeiro – respondeu ele. Obviamente, não estava disposto a contar muita coisa.

– Eu tenho uma tese.

Ele sorriu.

– Mais uma...

– Você foi o primeiro a se desencantar com as grandes causas. Você era o seu próprio território neutro. Victor Laszlo era o cara engajado. Deve ter morrido cedo e levado alguns outros idealistas como ele, pensando que estavam salvando o mundo para a democracia e os bons sentimentos. Você nunca teve ilusões sobre a humanidade. Era um cínico. Mas também era um romântico. Podia ter-se livrado de Laszlo e ficado com ela, mas preferiu o grande gesto e se igualar a Laszlo aos olhos dela. Por quê?

– Você se lembra do rosto dela naquele instante?

Eu me lembrava. Mesmo através do nevoeiro, eu me lembrava. Ele tinha razão. Por um rosto daqueles a gente sacrifica até a falta de ideais.

A porta se abriu de novo e nós dois olhamos rápido. Mas era apenas outro bêbado.

O Encontro

Ela o encontrou pensativo em frente aos vinhos importados. Quis virar, mas era tarde, o carrinho dela parou junto ao pé dele. Ele a encarou, primeiro sem expressão, depois com surpresa, depois com embaraço, e no fim os dois sorriram. Tinham estado casados seis anos e separados, um, e aquela era a primeira vez que se encontravam depois da separação. Sorriram, e ele falou antes dela; quase falaram ao mesmo tempo.

– Você está morando por aqui?

– Na casa do papai.

Na casa do papai! Ele sacudiu a cabeça, fingiu que arrumava alguma coisa dentro do seu carrinho – enlatados, bolachas, muitas garrafas – tudo para ela não ver que ele estava muito emocionado.

Soubera da morte do ex-sogro, mas não se animara a ir ao enterro. Fora logo depois da separação, ele não tivera coragem de ir dar condolências formais à mulher que, uma semana antes, ele chamara de vaca. Como era mesmo que ele tinha dito? "Tu és uma vaca sem coração!" Ela não tinha nada de vaca, era uma mulher esbelta, mas não lhe ocorrera outro insulto. Fora a última palavra que ele lhe dissera. E ela o chamara de farsante. Achou melhor não perguntar pela mãe dela.

– E você? – perguntou ela, ainda sorrindo.

Continuava bonita.

– Tenho um apartamento aqui perto.

Fizera bem em não ir ao enterro do velho. Melhor que o primeiro reencontro fosse assim, informal, num supermercado, à noite. O que é que ela estaria fazendo ali àquela hora?

– Você sempre faz compras de madrugada?

Meu Deus, pensou, será que ela vai tomar a pergunta como ironia?

Esse tinha sido um dos problemas do casamento, ele nunca sabia como ela ia interpretar o que ele dizia. Por isso, ele a chamara de vaca, no fim. *Vaca* não deixava dúvidas de que ele a desprezava.

– Não, não. É que estou com uns amigos lá em casa, resolvemos fazer alguma coisa para comer e não tinha nada em casa.

– Curioso, eu também tenho gente lá em casa e vim comprar bebidas, patê, essas coisas.

– Gozado.

Ela dissera *uns amigos*. Seria alguém do seu tempo? A velha turma? Ele nunca mais vira os antigos amigos do casal. Ela sempre fora mais social do que ele. Quem sabe era um *amigo*? Ela era uma mulher bonita, esbelta, claro que podia ter namorados, a vaca.

E ela estava pensando: ele odiava festas, odiava ter gente em casa. Programa, para ele, era ir para casa do papai jogar buraco. Agora tem amigos em casa. Ou será *uma* amiga? Afinal, ele ainda era moço... Deixara a amiga no apartamento e viera fazer compras. E comprava vinhos importados, o farsante.

Ele pensou: ela não sente minha falta. Tem a casa cheia de amigos. E na certa viu que eu fiquei engasgado ao vê-la, pensa que eu sinto falta dela. Mas não vai ter essa satisfação, não senhora.

– Meu estoque de bebidas não dura muito. Tem sempre gente lá em casa – disse ele.

– Lá em casa também é uma festa atrás da outra.

– Você sempre gostou de festas.

– E você, não.

– A gente muda, né? Muda de hábitos...

– Tou vendo.

– Você não me reconheceria se viesse viver comigo outra vez.

Ela, ainda sorrindo:

– Que Deus me livre.

Os dois riram. Era um encontro informal.

Durante seis anos, tinham se amado muito. Não podiam viver um sem o outro. Os amigos diziam: *Esses dois, se um morrer o outro se suicida.* Os amigos não sabiam que havia sempre uma ameaça de mal-entendido entre eles. Eles se amavam mas não se entendiam. Era como se o amor fosse mais forte, porque substituía o entendimento, tinha função acumulada. Ela interpretava o que ele dizia, ele não queria dizer nada.

Passaram juntos pela caixa, ele não se ofereceu para pagar, afinal era com a pensão que ele lhe pagava que ela dava festas para *uns amigos*. Ele pensou em perguntar pela mãe dela, ela pensou em perguntar se ele estava bem, se aquele problema do ácido úrico não voltara, começaram os dois a falar ao mesmo tempo, riram, depois se despediram sem dizer mais nada.

Quando ela chegou em casa ainda ouviu a mãe resmungar, da cama, que ela precisava acabar com aquela história de fazer as compras de madrugada, que ela precisava ter amigos, fazer alguma coisa, em vez de ficar lamentando o marido perdido. Ela não disse nada. Guardou as compras antes de ir dormir.

Quando ele chegou no apartamento, abriu uma lata de patê, o pacote de bolachas, abriu o vinho português, ficou bebendo e comendo sozinho, até ter sono e aí foi dormir.

Aquele farsante, pensou ela, antes de dormir.

Aquela vaca, pensou ele, antes de dormir.

SALA DE ESPERA

Sala de espera de dentista. Homem dos seus quarenta anos. Mulher jovem e bonita. Ela folheia uma *Cruzeiro* de 1950. Ele finge que lê uma *Vida dentária.*

Ele pensa: que mulherão. Que pernas. Coisa rara, ver pernas hoje em dia. Anda todo mundo de jeans. Voltamos à época em que o máximo era espiar um tornozelo. Sempre fui um homem de pernas. Pernas com meias. Meias de náilon. Como eu sou antigo. Bom era o barulhinho. Suish-suish. Elas cruzavam as pernas e fazia suish-suish. Eu era doido por um suish-suish.

Ela pensa: cara engraçado. Lendo a revista de cabeça para baixo.

Ele: te arranco a roupa e te beijo toda. Começando pelo pé. Que cena. A enfermeira abre a porta e nos encontra nus sobre o carpete, eu beijando um pé. O que é isso?! Não é o que a senhora está pensando. É que entrou um cisco no olho desta moça e eu estou tentando tirar. Mas o olho é na outra ponta! Eu ia chegar lá. Eu ia chegar lá!

Ela: ele está olhando as minhas pernas por baixo da revista. Vou descruzar as pernas e cruzar de novo. Só para ele aprender.

Ele: ela descruzou e cruzou de novo! Ai meu Deus. Foi pra me matar. Ela sabe que eu estou olhando. Também, a revista está de cabeça para baixo. E agora? Vou ter que dizer alguma coisa.

Ela: ele até que é simpático, coitado. Grisalho. Distinto. Vai dizer alguma coisa...

Ele: o que é que eu digo? Tenho que fazer alguma referência à revista virada. Não posso deixar que ela me considere um bobo.

Não sou um adolescente. Finjo que examino a revista mais de perto, depois digo "Sabe que só agora me dei conta de que estava lendo esta revista de cabeça para baixo? Pensei que fosse em russo." Aí ela ri e eu digo "E essa sua *Cruzeiro*? Tão antiga que deve estar impressa em pergaminho, é ou não é? Deve ter desenhos infantis do Millôr." Aí riremos os dois, civilizadamente. Falaremos nas eleições e na vida em geral. Afinal, somos duas pessoas normais, reunidas por circunstância numa sala de espera. Conversaremos cordialmente. Aí eu dou um pulo e arranco toda a roupa dela.

Ela: ele vai falar ou não? É do tipo tímido. Vai dizer que tempo, né? A senhora não acha? É do tipo que pergunta "Senhora ou senhorita?" Até que seria diferente. Hoje em dia a maioria já entra rachando... Vamos variar de posição, boneca? Mas espere, nós ainda nem nos conhecemos, não fizemos amor em posição nenhuma! É que eu odeio as preliminares. Esse é diferente. Distinto. Respeitador.

Ele: digo o quê? Tem um assunto óbvio. Estamos os dois esperando a vez num dentista. Já temos alguma coisa em comum. Primeira consulta? Não, não. Sou cliente antiga. Estou no meio do tratamento. Canal? É. E o senhor? Fazendo meu check-up anual. Acho que estou com uma cárie aqui atrás. Quer ver? Com esta luz não sei se... Vamos para o meu apartamento. Lá a luz é melhor. Ou então ela diz pobrezinho, como você deve estar sofrendo. Vem aqui e encosta a cabecinha no meu ombro, vem. Eu dou um beijinho e passa. Olhe, acho que um beijo por fora não adianta. Está doendo muito. Quem sabe com a sua língua...

Ela: ele desistiu de falar. Gosto de homens tímidos. Maduros e tímidos. Ele está se abanando com a revista. Vai falar do tempo. Calor, né? Ai eu digo "É verão". E ele: "É exatamente isso! Como você é perspicaz. Estou com vontade de sair daqui e tomar um chope". "Nem me fale em chope." "Você não gosta de chope?" "Não, é que qualquer coisa gelada me dói a obturação". "Ah, então você está aqui para consultar o dentista, como eu. Que coincidência espantosa! Os dois estamos com calor e concordamos que a causa é o verão. Os dois temos o mesmo dentista. É o destino. Você é a mulher que eu esperava todos estes anos. Posso pedir a sua mão em noivado?"

Ele: ela está chegando ao fim da revista. Já passou o crime do Sacopã, as fotos de discos voadores... Acabou! Olhou para mim.

Tem que ser agora. Digo: "Você está aqui para limpeza de pernas? Digo, de dentes? Ou para algo mais profundo como uma paixão arrebatadora por pobre de mim?"

Ela: e se eu disser alguma coisa? Estou precisando de alguém estável na minha vida. Alguém grisalho. Esta pode ser a minha grande oportunidade. Se ele disser qualquer coisa, eu dou o bote. "Calor, né?" "Eu também te amo!"

Ele: melhor não dizer nada. Um mulherão desses. Quem sou eu? É muita perna pra mim. Se fosse uma só, mas duas! Esquece, rapaz. Pensa na tua cárie que é melhor. Claro que não faz mal dizer qualquer coisinha. Você vem sempre aqui? Gosta do Roberto Carlos? O que serão os buracos negros? Meu Deus, ela vai falar!

– O senhor podia...

– Não! Quero dizer, sim?

– Me alcançar outra revista?

– Ahn... *Cigarra* ou *Revista da Semana*?

– *Cigarra*.

– Aqui está.

– Obrigada.

Aí a enfermeira abre a porta e diz:

– O próximo.

E eles nunca mais se vêem.

CANTADA

– Eu sei que você vai rir, mas...

– Sim?

– Por favor, não pense que é *paquera*.

– Não penso, não. Pode falar.

– Eu não conheço você de algum lugar?

– Pode ser...

– Nice. 1971. Saguão do Hotel Negresco. Promenade des Anglais. Quem nos apresentou foi o barão... o barão... Como é mesmo o nome dele?

– Não, não. Em 71 eu não estive em Nice.

– Pode ter sido 77. Estou quente?

– Que mês?

– Abril?

– Não.

– Agosto?

– Agosto? No forte da estação? Deus me livre.

– Claro. Eu também nunca estive em Nice em agosto. Onde é que eu estou com a cabeça?

– Não terá sido em Portofino?

– Quando?

– Outubro, 72. Eu era convidada no iate do comendador... comendador...

– Petrinelli.

– Não. Ele era comprido e branco.

– O comendador?

– Não, o iate. Tenho uma vaga lembrança de ter visto o seu rosto...

61

– Impossível. Há anos que eu não vou a Portofino. Desde que perdi tudo o que tinha no cassino há... Meu Deus, sete anos!

– Mas, que eu saiba, Portofino não tem cassino.

– Era um cassino clandestino na casa de verão do conde... do conde...

– Ah, sim, eu ouvi falar.

– Como era o nome do conde?

– Farci D'Amieu.

– Esse.

– Você perdeu tudo no jogo?

– Tudo. Minha salvação foi uma milionária boliviana que me adotou. Vivi durante um mês à custa do trabalho escravo nas minas de estanho. Que remorso. O caviar não passava na garganta. Felizmente minha família mandou dinheiro. Fui salvo do inferno pelo Banco do Brasil.

– Bom, se não foi em Portofino, então...

– Nova Iorque! Tenho certeza de que foi Nova Iorque! Você não estava no apartamento da Elizinha, no jantar para o rei da Grécia?

– Estive.

– Então está desvendado o mistério! Foi lá que nos conhecemos.

– Espere um pouquinho. Agora estou me lembrando. Não era para o rei da Grécia. Era para o rei da Turquia. Outra festa.

– A Turquia, que eu saiba, não tem rei.

– É um clandestino. Ele fundou um Governo no exílio: 24º andar do Olympic Tower. É o único apartamento de Nova Iorque que tem cabritos pastando no tapete.

– Espere! Já sei. Matei. Saint-Moritz. Inverno de...

– 79?

– Isso.

– Então não era eu. Estive lá em 78.

– Então foi 78.

– Não pode ter sido. Eu estava incógnita. Esquiava com uma máscara. Não falei com ninguém.

– Então era você a esquiadora mascarada! Diziam que era a Farah Diba.

– Era eu mesma.

– Meu Deus, onde foi que nos encontramos, então?

– Londres lhe diz alguma coisa?

– Londres, Londres...

– A casa de Lady Asquith, em Mayfair?

– A querida Lady Asquith. Conheço bem. Mas nunca estive na sua casa da cidade. Só na sua casa de campo.

– Em Devonshire?

– Não é Hamptonshire?

– Pode ser. Sempre confundo os shires.

– Se não foi em Londres, então... Onde?

– Precisamos descobrir. Hoje eu não durmo sem descobrir onde nos conhecemos.

– No meu apartamento ou no seu?

– Mmmm. Foi ótimo.

– Para mim também.

– Quer um cigarro?

– Tem Galoise? Depois de morar em Paris, não me acostumo com outro.

– Diga a verdade. Você alguma vez morou em Paris?

– Minha querida! Tenho uma suíte reservada no Plaza Athenee.

– A verdade...

– Está bem, não é uma suíte. Um quarto.

– Confesse. Era tudo mentira.

– Como é que você descobriu?

– O Conde de Farci D'Amieu. Não existe. Eu inventei o nome.

– Se você sabia que eu estava mentindo, então por que...

– Porque gostei de você. Se você tivesse chegado e dito "Topas?" eu teria respondido "Topo". De onde você tirou tudo aquilo? Hotel Negresco, Saint-Moritz.

– Não perco a coluna do Zózimo. Vi você e pensei, com aquela ali a cantada é noutro nível. Agora, me diga uma coisa.

– O quê?

– Você esquiava mesmo de máscara em Saint-Moritz?

– Nunca esquiei na minha vida. Nunca saí do Brasil. Eu não conheço nem a Bahia.

– Eu sei que você vai rir, mas...

– O quê?

– Eu conheço você de algum lugar, mesmo.

– Guarapari. Há três anos. Mamãe foi fazer um tratamento de lodo. Nos conhecemos na praia.

– Mas claro! Agora me lembro. Não reconheci você sem o maiô.

– Você quer o cigarro, afinal?

– Que marca tem?

– Oliú.

– Manda.

POSTO 5

Cena acre-doce de praia.

Alzira, 43 anos, funcionária pública graduada, bonita mesmo se não tivesse feito a plástica, divorciada, uma filha que mora com o pai, Posto 5, domingo de manhã, avista, vindo na sua direção entre os guarda-sóis e os argentinos, Rogério, de 22 anos. Seu coração pula no peito como se tivesse 19. Ela procura seus cigarros dentro da grande bolsa de praia – loção, lenço de papel, o JB, meu Deus, ele está chegando perto! – para disfarçar seu alvoroço. Rogério pára entre ela e o mar e diz, meu Deus:

– Oi, Alzira.

Ela ainda não decidiu o que fazer, que cara usar, o que dizer. Seis meses e ele diz "Oi". Ela devia mandá-lo passear. Virar a cara. Chamá-lo de cafajeste e mal agradecido. Tudo menos aquela vontade de abraçar as suas pernas e recebê-lo de volta.

– Como vai, Rogério?

– Legal, e você? Tá boazinha?

Ele agacha-se ao seu lado. Ela intensifica a busca dos cigarros. Calma, Alzira. Lembre-se do que você jurou. Nunca mais. Mesmo se ele voltasse de joelhos. Ele põe um joelho no chão. Toca o cabelo dela com a ponta dos dedos.

– Você parece ótima.

– Eu estou ótima.

– Então, ótimo.

– E você?

– Vai-se levando.

– Você tem um cigarro? Eu não encontro os...

– Você está fumando de novo?

Por sua causa, cafajeste. Cigarro, valium e desespero. Só não me matei por causa da minha filha.

– Fumo pouco.

– Corta essa.

– Você não veio aqui para me dizer isso, foi?

– Você está magoada comigo.

– Por que magoada? Só o que você fez foi me deixar um dia, sem qualquer explicação, sem um telefonema, sem... Acontece todos os dias.

– Não tinha o que explicar.

– Esperei dois meses e dei as suas cuecas para o porteiro.

– Alzira...

Aquele sorriso. Calma, Alzira. Frieza. Não peça compaixão. Não peca nada. Se ele quiser voltar, imponha condições. Você está indo bem, Alzira. Ele se deu conta do que perdeu. Não diga nada. Deixe ele falar. Ele está falando.

– Você é uma pessoa muito importante pra mim.

– Sou?

– Nunca conheci ninguém como você.

– Sei.

– Verdade. Acho que com você, sei lá. Eu me transformei, com você. Fiquei mais maduro. Foi um negócio muito sério. Profundo...

É o seu triunfo, Alzira. Saboreie.

– Acho que o que houve entre nós dois foi profundo demais para ser destruído. Entende? Eu estava errado. Não devia ter dado no pé como dei.

– Acontece.

– Não seja assim, Alzira.

– Assim, como?

– Você ficou magoada.

– Não fiquei. Foi bom e acabou. Pronto.

Agora ele vai dizer que não acabou. Que não precisa acabar. Ele está com os dois joelhos na areia. Ele vai implorar, Alzira. Ele diz:

– Tem uma pessoa que eu quero que você conheça.

Alzira, Alzira...

– Quem é?

– Ela está comigo. Posso trazer aqui?

– Traz, ora.

Ele ergue-se e corre para a beira do mar. São onze horas. Alzira pensa em correr também. Para casa. Dar no pé. Está tonta. Procura os óculos escuros no bolsão. Encontra os cigarros mas não encontra os óculos, Rogério está voltando. Traz uma moça pela mão. Dezoito anos.

– Alzira, Silvia. Silvia, Alzira.

– Oi, Silvia.

– Como vai a senhora?

– A Silvia é minha noiva, Alzira.

– Opa. Noiva?

– Eu queria que você conhecesse.

– Ela é muito bonita.

– A Alzira é uma pessoa...

Ele vai dizer que você é quase uma mãe para ele, Alzira. Ele tocou o seu cabelo com a ponta dos dedos, Alzira.

– ... uma pessoa que eu respeito muito. A opinião dela.

– Pois a minha opinião é que a Silvia é um doce. Parabéns.

– Muito obrigada.

– Obrigado, hein, Alzira?

– Obrigado por quê?

– Por tudo.

– O que é isso, meu filho?

Depois que eles se afastam, Alzira abre sua bolsa de praia com firmeza. Primeiro, precisa encontrar os óculos escuros. Depois pegar um lenço de papel para assoar o nariz, que a vida é assim mesmo.

LIXO

Encontram-se na área de serviço. Cada um com seu pacote de lixo. É a primeira vez que se falam.

– Bom dia...

– Bom dia.

– A senhora é do 610.

– E o senhor do 612.

– É...

– Eu ainda não lhe conhecia pessoalmente...

– Pois é...

– Desculpe a minha indiscrição, mas tenho visto o seu lixo...

– O meu quê?

– O seu lixo.

– Ah...

– Reparei que nunca é muito. Sua família deve ser pequena...

– Na verdade sou só eu.

– Mmmm. Notei também que o senhor usa muita comida em lata.

– É que eu tenho que fazer minha própria comida. E como não sei cozinhar...

– Entendo.

– A senhora também...

– Me chame de você.

– Você também perdoe a minha indiscrição, mas tenho visto alguns restos de comida em seu lixo. Champignons, coisas assim...

– É que eu gosto muito de cozinhar. Fazer pratos diferentes. Mas como moro sozinha, às vezes sobra...

– A senhora... Você não tem família?

– Tenho, mas não aqui.

– No Espírito Santo.

– Como é que você sabe?

– Vejo uns envelopes no seu lixo. Do Espírito Santo.

– É. Mamãe escreve todas as semanas.

– Ela é professora?

– Isso é incrível! Como foi que você adivinhou?

– Pela letra no envelope. Achei que era letra de professora.

– O senhor não recebe muitas cartas. A julgar pelo seu lixo.

– Pois é...

– No outro dia tinha um envelope de telegrama amassado.

– É.

– Más notícias?

– Meu pai. Morreu.

– Sinto muito.

– Ele já estava bem velhinho. Lá no Sul. Há tempos não nos víamos.

– Foi por isso que você recomeçou a fumar?

– Como é que você sabe?

– De um dia para o outro começaram a aparecer carteiras de cigarro amassadas no seu lixo.

– É verdade. Mas consegui parar outra vez.

– Eu, graças a Deus, nunca fumei.

– Eu sei. Mas tenho visto uns vidrinhos de comprimido no seu lixo.

– Tranqüilizantes. Foi uma fase. Já passou.

– Você brigou com o namorado, certo?

– Isso você também descobriu no lixo?

– Primeiro o buquê de flores, com o cartãozinho, jogado fora. Depois, muito lenço de papel.

– É, chorei bastante. Mas já passou.

– Mas hoje ainda tem uns lencinhos...

– É que eu estou com um pouco de coriza.

– Ah.

– Vejo muita revista de palavras cruzadas no seu lixo.

– É. Sim. Bem. Eu fico muito em casa. Não saio muito. Sabe como é.

– Namorada?

– Não.

– Mas há uns dias tinha uma fotografia de mulher no seu lixo. Até bonitinha.

– Eu estava limpando umas gavetas. Coisa antiga.

– Você não rasgou a fotografia. Isso significa que, no fundo, você quer que ela volte.

– Você já está analisando o meu lixo!

– Não posso negar que o seu lixo me interessou.

– Engraçado. Quando examinei o seu lixo, decidi que gostaria de conhecê-la. Acho que foi a poesia.

– Não! Você viu meus poemas?

– Vi e gostei muito.

– Mas são muito ruins!

– Se você achasse eles ruins mesmo, teria rasgado. Eles só estavam dobrados.

– Se eu soubesse que você ia ler...

– Só não fiquei com eles porque, afinal, estaria roubando. Se bem que, não sei: o lixo da pessoa ainda é propriedade dela?

– Acho que não. Lixo é domínio público.

– Você tem razão. Através do lixo, o particular se torna público. O que sobra da nossa vida privada se integra com a sobra dos outros. O lixo é comunitário. É a nossa parte mais social. Será isso?

– Bom, aí você já está indo fundo demais no lixo. Acho que...

– Ontem, no seu lixo...

– O quê?

– Me enganei, ou eram cascas de camarão?

– Acertou. Comprei uns camarões graúdos e descasquei.

– Eu adoro camarão.

– Descasquei, mas ainda não comi. Quem sabe a gente pode...

– Jantar juntos?

– É...

– Não quero dar trabalho.

– Trabalho nenhum.

– Vai sujar a sua cozinha.

– Nada. Num instante se limpa tudo e põe os restos fora.

– No seu lixo ou no meu?

TRINTA ANOS

Encontraram-se, trinta anos depois, numa festa. Ela sorriu e disse: "Como vai?"

– Vocês já se conhecem? – perguntou a dona da casa.

Ele não disse: "Nos conhecemos. No sentido bíblico, inclusive. Foi o amor da minha vida. Quase me matei por ela. Sou capaz de morrer agora. Ah, vida, vida".

Disse:

– Já.

– Faz horas, né? – disse ela.

Sentou-se ao lado dela. Estava emocionado. Mal conseguia dizer:

– Trinta anos...

– Xiii! Nem fala. Estou me sentindo uma velha.

E acrescentou:

– Caquética.

Curioso. Ela engordara, claro. Tinha rugas. Mas o que realmente mudara fora a sua voz. Ou será que ela sempre tivera aquela voz estridente? Impossível. Ele se lembrava de tudo dela. Tudo. O amor da sua vida. Ela agora lhe cutucava o braço.

– Tu tá um broto, hein?

– Que fim você levou? Quer dizer...

– Nem me fala, meu filho. Sabe que eu já sou avó?

– Não!

Ele não conseguira esconder o horror na sua voz. Mas ela tomou como um elogio. Gritou "Haroldo!", chamando o marido, que veio sorrindo. Ela apresentou: "Este aqui é um velho amigo..."

71

Mas não disse o nome. Meu Deus, ela esqueceu o meu nome! Ela instruiu o marido:

– Mostra o retrato do Gustavinho.

E para ele:

– Tu vai ver que mimo de neto.

O Haroldo pegou a carteira. Ela esqueceu o meu nome. E eu me lembro de tudo! A cicatriz do apêndice. O apartamento na André da Rocha. "Vou te amar sempre, sempre"! Tudo!

O Haroldo tirou o retrato da carteira. Ele pegou o retrato. O Gustavinho olhava assustado para a câmara.

– Não é um amor? – perguntou ela.

Ele devolveu o retrato para o Haroldo. Disse:

– Não.

– Como, "não" ?

– Não achei, pronto.

E saiu atrás de um uísque.

A SERENATA

O Souza se declarava:

– Sou o último romântico do mundo!

E era mesmo um tipo em extinção. Um galanteador. As mulheres não sabiam como reagir aos rapapés do Souza. Ficavam confusas quando Souza não apenas lhes beijava as mãos como dizia: "A seus pés". Seria gozação?

Mas gostavam. Era diferente. Às vezes precisavam se controlar para não rir quando o Souza fazia uma frase rebuscada sobre a cor dos seus olhos ou comparava pescoços com torres de alabastro. Mas, que diabo, elogio é elogio, não importa o estilo. E não foram poucas as que sucumbiram ao charme antigo do Souza. Depois contavam que o Souza não queria nada, queria mesmo era namorar, ir ao cinema e depois a uma confeitaria. O Souza era esta outra coisa ultrapassada, um moço respeitador.

Laura era belíssima, e o Souza, assim que a conheceu, fez um soneto. Laura achou graça, fez um comentário qualquer – "Legal" ou "Falou" – e esqueceu. Mesmo porque não saberia o que dizer a um homem de cabelo engomado e casaco acinturado.

O Souza mandava flores para Laura. Um buquê por dia, todos os dias, sempre acompanhado de um soneto. Escrito em tinta verde "como a minha esperança". Mas Laura nada. Trabalhava, estudava, queria se formar em psicologia, tinha mais o que fazer. Que cara chato, era a sua única reação. Até que o Souza teve uma idéia.

– Uma serenata!

Os amigos tentaram dissuadi-lo.

– Isso não se usa mais, Souza.

– Por isso, mesmo. O impacto vai ser maior.

Em pouco tempo o Souza reuniu o necessário: dois violões, um cavaquinho, uma flauta e, como cantor, o Nosso, um farmacêutico. De tanto ser chamado pelos amigos de "o nosso Caubi", o farmacêutico acabara conhecido pelo apelido. Mas o que pegara fora "o nosso", não o "Caubi".

Tudo pronto para a serenata. Só havia um problema. Laura morava num oitavo andar, fundos. Se fizessem a serenata na frente do edifício, acordariam todos os moradores de frente e a Laura não ouviria. E atrás do edifício passava um viaduto.

Souza e seu grupo – dois violões, um cavaquinho, uma flauta e o Nosso – foram examinar o terreno. O viaduto tinha uma vantagem. Passava à altura do quarto andar, o que os aproximaria da janela de Laura, no oitavo. Mas tinha o perigo de serem atropelados no meio da serenata.

– Que horas vai ser o troço? – perguntou o Nosso.

– Tem que ser depois da meia-noite. Senão não tem graça.

– A essa hora não tem muito tráfego. E se aparecer um carro a gente tem tempo de correr.

– Não – disse Souza. Não podia conceber a Laura vendo seus seresteiros dispersados por um ônibus no meio da segunda estrofe. Só havia uma solução: – Vamos entrar no edifício.

– Como?

– Pela porta, ora. Entramos, subimos no elevador e tocamos no corredor, em frente à porta dela.

O Nosso não gostou muito. Serenata de corredor, não parecia direito. Mas enfim, a festa era do Souza.

Encontram-se na porta do edifício, à meia-noite. Souza estranhou a bagagem do Saraiva, um dos violonistas. O que era aquilo?

– Minha guitarra é elétrica!

– Mais esta. Quero ver arranjar tomada.

A porta do edifício estava trancada. Teriam que usar o porteiro eletrônico. Até apertarem o botão certo, ouviram vários desaforos. Finalmente acertaram. A voz de sono da Laura perguntou o que era.

– Vamos lá! – gritou o Souza.

Pelo interfone, Laura ouviu o Nosso começar a cantar, depois gritos – "É a polícia... Calma lá... Nós não somos assal..." – depois, o que parecia ser disparos. Depois não ouviu mais nada. Voltou para a cama e disse para o namorado, um analista de sistemas, que devia ser trote.

Quando soube do que tinha acontecido, Laura se sentiu obrigada a ir visitar o Souza no hospital. A bala da polícia passara perto do pulmão. Quando viu a Laura entrar no quarto, o Souza pulou da cama, para horror dos amigos, e tropeçou no tubo do soro. Foi levado de volta à cama. A Laura pedindo desculpas. E ele, mal podendo respirar, dizendo:

– Por quem sois. Por quem sois.

Era um incorrigível.

A VOLTA (I)

Da janela do trem o homem avista a velha cidadezinha que o viu nascer. Seus olhos se enchem de lágrimas. Trinta anos. Desce na estação – a mesma do seu tempo, não mudou nada – e respira fundo. Até o cheiro é o mesmo! Cheiro de mato e poeira. Só não tem mais cheiro de carvão porque o trem agora é elétrico. E o chefe da estação, será possível? Ainda é o mesmo. Fora a careca, os bigodes brancos, as rugas e o corpo encurvado pela idade, não mudou nada.

O homem não precisa perguntar como se chega ao centro da cidade. Vai a pé, guiando-se por suas lembranças. O centro continua como era. A praça. A igreja. A prefeitura. Até o vendedor de bilhetes na frente do Clube Comercial parece o mesmo.

– Você não tinha um cachorro?

– O Cusca? Morreu, ih, faz vinte anos.

O homem sabe que subindo a Rua Quinze vai dar num cinema. O Elite. Sobe a Rua Quinze. O Cinema ainda existe, mas mudou de nome. Agora é o Rex. Do lado tem uma confeitaria. Ah, os doces da infância... Ele entra na confeitaria. Tudo igual. Fora o balcão de fórmica, tudo igual. Ou muito se engana ou o dono ainda é o mesmo.

– Seu Adolfo, certo?

– Lupércio.

– Errei por pouco. Estou procurando a casa onde nasci. Sei que ficava do lado de uma farmácia.

– Qual delas, a Progresso, a Tem Tudo ou a Moderna?

– Qual é a mais antiga?

– A Moderna.

– Então é essa.

– Fica na rua Voluntários da Pátria.

Claro. A velha Voluntários. Sua casa está lá, intacta. Ele sente vontade de chorar. A cor era outra. Tinham mudado a porta e provavelmente emparedado uma das janelas. Mas não havia dúvida, era a casa da sua infância. Bateu na porta. A mulher que abriu lhe parecia vagamente familiar. Seria...

– Titia?

– Puluca!

– Bem, meu nome é...

– Todos chamavam você de Puluca. Entre.

Ela lhe serviu licor. Perguntou por parentes que ele não conhecia. Ele perguntou por parentes que ela não se lembrava. Conversaram até escurecer. Então ele se levantou e disse que precisava ir embora. Não podia, infelizmente, demorar-se em Riachinho. Só viera matar a saudade. A tia parecia intrigada.

– Riachinho, Puluca?

– É, por quê?

– Você vai para Riachinho?

Ele não entendeu.

– Eu estou em Riachinho.

– Não, não. Riachinho é a próxima parada do trem. Você está em Coronel Assis.

– Então eu desci na estação errada!

Durante alguns minutos os dois ficaram se olhando em silêncio. Finalmente a velha perguntou:

– Como é mesmo o seu nome?

Mas ele já estava na rua, atordoado. E agora? Não sabia como voltar para a estação, naquela cidade estranha.

A Volta (II)

Batem na porta com insistência. A velha senhora tem dificuldade em atravessar o salão da velha casa para chegar até a porta. Quando abre a porta, dá com um homem grande, quase o dobro do seu tamanho, que sorri para ela com expectativa.

– Titia... – diz o homem.

– O quê?

– Sou eu, titia.

– Você! – exclama a velha.

Mas em seguida se dá conta que não sabe quem é.

– Quem é você?

– Não está me reconhecendo, titia?

A velha examina o homem com cuidado. Depois exclama:

– Não pode ser!

Vai recuando, espantada. Repetindo:

– Não pode ser. Não pode ser!

Depois volta e diz:

– Não pode ser mesmo. Ele já morreu. Quem é você?

– Pense, titia. Você gostava muito de mim.

– Sim?

– Eu era a coisa mais importante da sua vida. A senhora cuidava de mim, me alimentava, me dava banho...

– Sim, estou me lembrando...

– Um dia eu desapareci e nunca mais voltei. Mas estou voltando agora.

– Você voltou. Oh, Rex!

– Rex?

– Meu cachorrinho, Rex. Meu peludinho. Minha paixão. Você voltou!

– Não, titia. Eu não sou o Rex.

– Então quem é?

– Titia, prepare-se. Eu sou... o Valter!

– Não!

– Sim!

– NÃO!

– Sim, titia. Sim!

– EU NÃO CONHEÇO NINGUÉM CHAMADO VALTER!

– Seu sobrinho favorito. A senhora me criou. Tente se lembrar, titia!

– Eu nunca criei sobrinho nenhum. Principalmente chamado Valter.

– Tem certeza?

– Absoluta. Sempre morei aqui, sozinha.

– Aqui não é o número 201?

– Não. É o 2001.

– Puxa. Me enganei. Olhe, desculpe, viu?

– Tudo bem.

A velha fecha a porta. Daí a instantes, ouve outra batida. Ela abre. É o Valter.

– Escute...– diz ele.

– O quê?

– A senhora nunca teve um sobrinho chamado Valter, mesmo?

– Nunca.

– E... Não gostaria de ter?

– Bem...

– É que o 201 fica tão longe. E já que a senhora mora sozinha...

– Está bem – concorda a velha. – Entre.

Mas vai logo avisando:

– Banho, não.

GRANDE EDGAR

Já deve ter acontecido com você.

– Não está se lembrando de mim?

Você não está se lembrando dele. Procura, freneticamente, em todas as fichas armazenadas na memória o rosto dele e o nome correspondente, e não encontra. E não há tempo para procurar no arquivo desativado. Ele está ali, na sua frente, sorrindo, os olhos iluminados, antecipando a sua resposta. Lembra ou não lembra?

Neste ponto, você tem uma escolha. Há três caminhos a seguir.

Um, o curto, grosso e sincero.

– Não.

Você não está se lembrando dele e não tem por que esconder isso. O "Não" seco pode até insinuar uma reprimenda à pergunta. Não se faz uma pergunta assim, potencialmente embaraçosa, a ninguém, meu caro. Pelo menos não entre pessoas educadas. Você devia ter vergonha. Não me lembro de você e mesmo que lembrasse não diria. Passe bem.

Outro caminho, menos honesto mas igualmente razoável, é o da dissimulação.

– Não me diga. Você é o... o...

"Não me diga", no caso, quer dizer "Me diga, me diga". Você conta com a piedade dele e sabe que cedo ou tarde ele se identificará, para acabar com a sua agonia. Ou você pode dizer algo como:

– Desculpe, deve ser a velhice, mas...

Este também é um apelo à piedade. Significa "Não torture um pobre desmemoriado, diga logo quem você é!" É uma maneira simpática de dizer que você não tem a menor idéia de quem ele é, mas que isso não se deve à insignificância dele e sim a uma deficiência de neurônios sua.

E há o terceiro caminho. O menos racional e recomendável. O que leva à tragédia e à ruína. E o que, naturalmente, você escolhe.

– Claro que estou me lembrando de você!

Você não quer magoá-lo, é isso. Há provas estatísticas que o desejo de não magoar os outros está na origem da maioria dos desastres sociais, mas você não quer que ele pense que passou pela sua vida sem deixar um vestígio sequer. E, mesmo, depois de dizer a frase não há como recuar. Você pulou no abismo. Seja o que Deus quiser. Você ainda arremata:

– Há quanto tempo!

Agora tudo dependerá da reação dele. Se for um calhorda, ele o desafiará.

– Então me diga quem eu sou.

Neste caso você não tem outra saída senão simular um ataque cardíaco e esperar, falsamente desacordado, que a ambulância venha salvá-lo. Mas ele pode ser misericordioso e dizer apenas:

– Pois é.

Ou:

– Bota tempo nisso.

Você ganhou tempo para pesquisar melhor a memória. Quem é esse cara, meu Deus? Enquanto resgata caixotes com fichas antigas do meio da poeira e das teias de aranha do fundo do cérebro, o mantém à distância com frases neutras como "jabs" verbais.

– Como cê tem passado?

– Bem, bem.

– Parece mentira.

– Puxa.

(Um colega da escola. Do serviço militar. Será um parente? Quem é esse cara, meu Deus?)

Ele está falando:

– Pensei que você não fosse me reconhecer...

– O que é isso?!

– Não, porque a gente às vezes se decepciona com as pessoas.

– E eu ia esquecer você? Logo você?

– As pessoas mudam. Sei lá.

– Que idéia!

81

(É o Ademar! Não, o Ademar já morreu. Você foi ao enterro dele. O... o... como era o nome dele? Tinha uma perna mecânica. Rezende! Mas como saber se ele tem uma perna mecânica? Você pode chutá-lo, amigavelmente. E se chutar a perna boa? Chuta as duas. "Que bom encontrar você!" e paf, chuta uma perna. "Que saudade!" e paf, chuta a outra. Quem é esse cara?)

– É incrível como a gente perde contato.

– É mesmo.

Uma tentativa. É um lance arriscado, mas nesses momentos deve-se ser audacioso.

– Cê tem visto alguém da velha turma?

– Só o Pontes.

– Velho Pontes!

(Pontes. Você conhece algum Pontes? Pelo menos agora tem um nome com o qual trabalhar. Uma segunda ficha para localizar no sótão. Pontes, Pontes...)

– Lembra do Croarê?

– Claro!

– Esse eu também encontro, às vezes, no tiro ao alvo.

– Velho Croarê!

(Croarê. Tiro ao alvo. Você não conhece nenhum Croarê e nunca fez tiro ao alvo. É inútil. As pistas não estão ajudando. Você decide esquecer toda a cautela e partir para um lance decisivo. Um lance de desespero. O último, antes de apelar para o enfarte.)

– Rezende...

– Quem?

Não é ele. Pelo menos isto está esclarecido.

– Não tinha um Rezende na turma?

– Não me lembro.

– Devo estar confundindo.

Silêncio. Você sente que está prestes a ser desmascarado.

Ele fala:

– Sabe que a Ritinha casou?

– Não!

– Casou.

– Com quem?

– Acho que você não conheceu. O Bituca.

Você abandonou todos os escrúpulos. Ao diabo com a cautela. Já que o vexame é inevitável, que ele seja total, arrasador. Você está tomado por uma espécie de euforia terminal. De delírio do abismo. Como que não conhece o Bituca?

– Claro que conheci! Velho Bituca...

– Pois casaram.

É a sua chance. É a saída. Você passa ao ataque.

– E não me avisaram nada?!

– Bem...

– Não. Espera um pouquinho. Todas essas coisas acontecendo, a Ritinha casando com o Bituca, o Croarê dando tiro, e ninguém me avisa nada?!

– É que a gente perdeu contato e...

– Mas o meu nome está na lista, meu querido. Era só dar um telefonema. Mandar um convite.

– É...

– E você ainda achava que eu não ia reconhecer você. Vocês é que esqueceram de mim!

– Desculpe, Edgar. É que...

– Não desculpo não. Você tem razão. As pessoas mudam...

(Edgar. Ele chamou você de Edgar. Você não se chama Edgar. Ele confundiu você com outro. Ele também não tem a mínima idéia de quem você é. O melhor é acabar logo com isso. Aproveitar que ele está na defensiva. Olhar o relógio e fazer cara de "Já?!")

– Tenho que ir. Olha, foi bom ver você, viu?

– Certo, Edgar. E desculpe, hein?

– O que é isso? Precisamos nos ver mais seguido.

– Isso.

– Reunir a velha turma.

– Certo.

– E olha, quando falar com a Ritinha e o Mutuca...

– Bituca.

– E o Bituca, diz que eu mandei um beijo. Tchau, hein?

– Tchau, Edgar!

Ao se afastar, você ainda ouve, satisfeito, ele dizer "Grande Edgar". Mas jura que é a última vez que fará isso. Na próxima vez que alguém lhe perguntar "Você está me reconhecendo?" não dirá nem não. Sairá correndo.

NA CORRIDA

Conheceram-se na Avenida Atlântica, calçada da praia. Passaram quase um ano cruzando um pelo outro, ou correndo na mesma direção, sem se falarem. Até que um dia ele tomou coragem.

– Desculpe...
– Sim?
– Esse seu macacão...
– Francês.
– Não é Adidas?
– Não, não. É uma marca que não tem aqui.
– Bacana.
– Obrigada. Eu notei os seus tênis...
– Ah. Estes me trouxeram dos Estados Unidos...
– Devem ser bons.
– São ótimos.

A todas estas, correndo lado a lado.

– Você faz a praia toda?
– Não. Princesa Isabel. Posto quatro.
– Eu, posto quatro, fim do Leme.
– Quantas vezes?
– Quatro. Semana que vem, aumento para cinco.
– Eu, três.
– Ah.

No dia seguinte se cruzaram e se abanaram. E todos os dias, depois disto, nunca deixaram de trocar palavras. Rápidas, quando se cruzavam. Mais demoradas, quando acontecia de emparelharem.

– E então?
– Tudo bem.
– Quantas?
– Já estou em quatro.
– Eu em cinco.
– Boa!

Quando se aproximava dela por trás, ele ficava examinando o seu corpo. Mesmo dentro do macacão francês, era um belo corpo. Firme. Decidido Em pouco tempo ela também chegaria a cinco.

Um dia chegaram juntos à Princesa Isabel e ele sugeriu:
– Vamos até o fim do Leme.
– Tá doido.
– Vamos lá. Coragem.

Ela foi. Foram e voltaram, lado a lado, no mesmo passo.
– Você, hein? Me desencaminhou.

Quando chegaram ao Posto 4, ela estava bufando. Ele adorava ouvi-la bufar.

Um dia pararam para conversar em frente ao Lido. Pararam, não. Continuaram correndo, mas sem sair do lugar. Os dois suados, felizes. Ela prendia o cabelo atrás mas alguns fios se soltavam e grudavam no rosto suado. Pelos lados passavam os outros corredores. Gente de todos os tipos. Velhos conhecidos do calçadão. Uma irmandade.
– Como tem gente fazendo *jogging*, né? – disse ele.
– Sabe que eu não gosto dessa palavra?
– É verdade. Bobagem.
– Prefiro o português, mesmo.
– Como é o português?
– Cuper!

Separaram-se às risadas. Ele, apaixonado.

Passaram a marcar encontro, todas as manhãs às sete na frente da Paula Freitas, e a correrem juntos. Até o fim do Leme. Ele pretendia aumentar para seis mas ficou nas cinco até que ela se condicionasse. E um dia, em frente ao Bolero, se beijaram. Foi difícil porque nenhum dos dois podia parar de pular, custaram um pouco até sincronizarem. Combinaram um programa para aquela noite. Os dois excitadíssimos.

Ele foi buscá-la. Ela estava esperando em frente ao prédio onde morava. Ele teve um choque. Chegou a hesitar, na esquina, antes de se aproximar.

– Oi.

– Oi.

Ela também parecia decepcionada. Pensando bem, era a primeira vez que se viam sem estar em movimento. Ela de vestido. Bem penteada. Maquiada. Enxuta.

– Você está... diferente – disse ela.

– Como assim?

– Sei lá.

Não foi um bom programa. Durante o jantar, não encontraram assunto. Acabaram falando de corrida. De corredores famosos. Ele disse que uma vez fora correr em Ipanema só para ver se encontrava o Millôr.

– E encontrou?

– Não.

– Ah.

Quando a deixou em casa, ele nem a beijou. Apertaram-se as mãos.

– Nos vemos amanhã?

– Claro!

Ele correu para a calçada da praia e já a encontrou pulando. Abraçou-a com entusiasmo. Ela também parecia contentíssima em vê-lo à luz do dia da manhã. Comentou:

– Epa! Adidas nova.

– Gostou?

– Bacana.

– Escuta, eu quero te fazer uma proposta.

– Fala.

– Hoje, vamos?

– O quê?

– Fazer seis?

– Topo!

E saíram na direção do Leme, bufando juntos.

Uma Surpresa Para Daphne

Daphne mal podia acreditar nos seus ouvidos. Ou no seu ouvido esquerdo, pois era neste que chegava a voz de Peter Vest-Pocket, através do fone.

– Daphne, você está aí? Sou eu, Peter.

Quando finalmente conseguiu se refazer da surpresa, a pequena e vivaz Daphne – era assim que a legenda da sua foto como debutante no *Tattler* a descrevera, anos atrás – esforçou-se para controlar a voz.

– Você quer dizer o sujo, tratante, traidor, nojento, desprovido de qualquer decência ou caráter, estúpido e desprezível Peter Vest-Pocket?

– Esse mesmo. É bom saber que você ainda me ama.

– Seu, seu...

– Tente porco.

– Porco!

– Foi por isso que eu deixei você, Daphne. Você sempre faz o que eu mando. Era como viver com um perdigueiro. Agora acalme-se.

– Porco imundo!

– Está bem. Agora acalme-se. Pergunte por que é que eu estou telefonando para você depois de dois anos.

– Não me interessa. E foram dois anos, duas semanas e três dias.

– Eu preciso de você, Daphne.

– Peter...

– Preciso mesmo. Eu sei que fui um calhorda, mas não sou orgulhoso. Peço perdão.

– Oh! Peter. Não brinque comigo...

– Daphne, você se lembra daquela semana em Taormina?

– Se me lembro.

– Do jasmineiro no pátio do hotel? Das azeitonas com vinho branco à tardinha no café da praça?

– Peter, eu estou começando a chorar.

– E daquela vez em que fomos nadar nus, ao luar, e veio um guarda muito sério pedir nossos documentos, e depois os três começamos a rir e o guarda acabou tirando a roupa também?

– Não. Isso eu não me lembro.

– Bom. Deve ter sido em outra ocasião. E a pensão em Rapallo, Daphne.

– A pensão! O velho do acordeão que só tocava *Torna a Sorriento* e *Tea for Two*.

– E a festa de aniversário que nós entramos por engano e eu acabei fazendo a minha imitação do Maurice Chevalier com laringite.

– Ah, Peter...

– Lembra o pimentão recheado da *signora* Lumbago, na pensão?

– Posso sentir o gosto agora.

– Qual era mesmo o ingrediente secreto que ela usava, e que só nos revelou depois que nós ameaçamos contar para o seu marido do caso dela com o garçom?

– Era... Deixa ver. Era manjericão.

– Você tem certeza?

– Tenho. Ah, Peter, Peter... Não consigo ficar braba com você.

– Ótimo, Daphne. Precisamos nos ver. Tchau.

– Tchau?! TCHAU?! Você disse que precisava de mim, Peter!

– Precisava. Eu estou fazendo aquele pimentão recheado para uma amiga e não me lembrava do ingrediente secreto. Você me ajudou muito, Daphne, e...

– Seu animal! Seu jumento insensível! Seu filho...

– Daphne, eu já pedi desculpas. Você quer que eu me humilhe?

HOMENS

Deus, que não tinha problemas de verba, nem uma oposição para ficar dizendo "Projetos faraônicos! Projetos faraônicos!", resolveu, numa semana em que não tinha mais nada para fazer, criar o mundo. E criou o céu e a terra e as estrelas, e viu que eram razoáveis. Mas achou que faltava vida na sua criação e – sem uma idéia muito firme do que queria – começou a experimentar com formas vivas. Fez amebas, insetos, répteis. As baratas, as formigas etc. Mas, apesar de algumas coisas bem-resolvidas – a borboleta, por exemplo – nada realmente o agradou. Decidiu que estava se reprimindo e partiu para grandes projetos: o mamute, o dinossauro e, numa fase especialmente megalomaníaca, a baleia. Mas ainda não era bem aquilo. Não chegou a renegar nada do que fez – a não ser o rinoceronte que até hoje Ele diz que não foi Ele – e tem explicações até para a girafa, citando Le Corbusier ("A forma segue a função"). Mas queria outra coisa. E então bolou um bípede. Uma variação do macaco, sem tanto cabelo. Era quase o que Ele queria. Mas ainda não era bem aquilo. E, entusiasmado, Deus trancou-se na sua oficina e pôs-se a trabalhar. E moldou sua criatura, e abrandou suas feições, e arredondou suas formas, e tirou um pouquinho daqui e acrescentou um pouquinho ali. E criou a Mulher, e viu que era boa. E determinou que ela reinaria sobre a sua criação, pois era a sua obra mais bem-acabada.

Infelizmente, o Diabo andou mexendo na lata de lixo de Deus e, com o que sobrou da Mulher, criou o Homem. E é por isso que, alguns milhões de anos depois, a Lalinha e o Teixeira estão sentados num bar, o Teixeira com as mãos da Lalinha entre as suas, olhando fundo nos seus olhos, tremendo romance, e de repente a Lalinha puxa as mãos violentamente.

– Seu grandessíssimo...

– O que é isso, Lalinha?

– Agora eu saquei. Saquei tudo. Foi ele que instruiu você!

– Você está delirando.

– Mas claro. Como eu fui boba. Como é que você ia saber que o meu perfume preferido era aquele? Foi o Vinicius que te disse.

– Lalinha, eu juro...

– Mas eu sou uma imbecil! E o disco. O primeiro disco que você me dá é justamente um disco do Ivan Lins. Meu Deus, até o beijo atrás da orelha!

O Teixeira olha em volta, preocupado. Lalinha está exaltada.

– Lalinha, calma.

– Posso até ver o Vinicius ensinando você. Olha, beija ela ali que é tiro e queda. Ele escolheu você a dedo. Sabia que você é do tipo que eu gosto. Igual a ele, o cachorro !

– Lalinha, eu juro pela minha mãe...

– Estava tudo bom demais para ser verdade. Agora tudo encaixa.

– Não é nada disso que você está pensando.

– Claro que é! Mas diz pro seu amigo Vinicius que não vai dar certo. Diz que quase deu, mas eu acordei a tempo. Diz que ele vai continuar me pagando pensão por muitos e muitos anos porque tão cedo eu não caso de novo. Ainda mais com um capacho como você!

– Lalinha, então você acha que eu ia me submeter a... Ó Lalinha!

– Acho sim, acho sim.

– Está certo. Foi isso mesmo. Mas eu me apaixonei de verdade, Lalinha. Nosso casamento ia ser um estouro. Vai ser um estouro.

– Pede a conta.

– Mas Lalinha...

– Pede a conta, Teixeira.

O REENCONTRO

Na última vez que tinham se visto, um tentava bater com um estandarte na cabeça do outro, que se defendia tentando acertar um soco no estômago do outro. Um gritava "Comunista!" e o outro gritava "Fascista!" Mas isso fora há anos. Agora estavam ali, anos mais velhos, no mesmo boteco. Tinham se cumprimentado discretamente. Constrangidos. Depois de alguns minutos de hesitação, um convidara o outro para sentar na sua mesa. Que diabo, fazia tanto tempo.

A briga fora na época em que os dois eram estudantes. Amigos, mas com idéias diferentes. Tempos agitados. Um dia tinham se encontrado num choque de manifestações opostas. Contra e a favor de alguma coisa. Os dois eram jovens e impulsivos. Tinham se xingado. Depois um partira para cima do outro com seu estandarte. Outros tempos. Outros hormônios. Nunca mais tinham se falado.

– Você ainda é daquele troço?

– Troço?

– Sei lá como se chamava. Cristãos Castrados contra qualquer coisa.

– Cruzada Cristã contra o Comunismo. Não.

– Ainda existe?

– Não sei. Você?

– O quê?

– Ainda é comunista?

– Rá!

Era uma resposta. O outro perguntou:

– Ainda existe?

– Comunista? Parece que uns dois ou três. Mas a polícia russa já tem o endereço deles.

– Você chegou a ser militante?

– Olha a marca aqui. Cassetete.

– Não fui eu?

– Você não me acertou com aquele estandarte ridículo. Cruzada Cristã... Só você mesmo.

– E você, com toda aquela conversa de fanático? Marx, Trotski, Gorki.

– Gorki? Que Gorki?

– Sei lá. Aquela ladainha.

– Não, ladainha é com você. Fanático é você. Fanático religioso.

– Era.

– Você deixou a Igreja?

– Há muito tempo. Fui me desencantando. Ficando cheio de dúvidas. Acabei perdendo a fé.

– Parecido com o que aconteceu comigo. As poucas certezas que eu ainda tinha desapareceram com essa história toda lá no Leste Europeu. E Rússia. Não dá para acreditar em mais nada...

– Melhor assim. Somos pessoas maduras. Racionais. Recuperar a razão é uma das compensações da idade.

– Quais são as outras?

– Ainda não descobri.

Quando viram estavam brindando a amizade recuperada, e trocando informações sobre as famílias e descobrindo que seu encontro naquele boteco não fora um acaso completo. Estavam os dois fazendo hora para assistir à palestra de Rangar Krisnamon na sua primeira visita ao Brasil. Os dois eram discípulos de Rangar Krisnamon! Ambos tinham lido "O olho interior" e "Minhas vidas", ambos tinham o Amuleto Regenerador. Tiraram do bolso o pequeno estojo com um fio da barba de Krisnamon, e o fizeram rodar na ponta da correntinha sobre seus copos, entoando a Encantação Milenar:

– *Oam, patapai.*

– *Oam, patapai.*

Depois um olhou o relógio e sugeriu que era melhor se dirigirem para o auditório, que já devia estar enchendo, pois ambos sonhavam em chegar perto de Krisnamon e, se possível, tocar os seus pés. Pois diziam que quem tocasse os pés de Krisnamon se encheria da Verdade Única, seria como um cântaro da Verdade Única, e os dois saíram do boteco abraçados.

MIKE MAGUÍ

O Paulo e a Dé tinham convidado a Lana e o Antônio para jantarem na casa deles e depois assistirem ao que o Paulo chamara de "um pornozinho" no videocassete. O Antônio foi contrafeito, embora a Lana não visse nada de mal.

– Não vejo nada de mal, ué.

– Pô, Lã!

– Qual é o problema?

– Sei lá – dissera o Antônio, que não queria estragar o prazer de ninguém, mas puxa!

Mal conheciam o Paulo e a Dé. Acabara concordando mas com uma condição.

– Se for alguma coisa com anão e cabrito, eu levanto e vou embora!

Quando colocou o cassete no aparelho o Paulo piscou um olho e disse: "Este é com o Mike Maguí".

– Ah, o Mike Maguí – disse o Antônio, como se soubesse quem era.

– Ele é bom, é? – quis saber a Lana.

– Espera só – disse o Paulo.

E a Dé reforçou:

– Espera só.

No carro, voltando para casa, a Lana estava silenciosa. O Antônio já falara mal da comida ("Strogonoff, com esse calor"),

93

falara mal do Paulo ("Recorta artigo do Delfim, você viu?"), falara mal até do cachorro ("Antipático") e a Lana nada, pensativa. Finalmente o Antônio disse:

– E o Mike Maguí, hein?

E a Lana:

– Que coisa, né?

O Antônio olhou para a mulher com o rabo do olho.

– Você sabe que aquilo pode ser truque, não sabe?

– Como, truque?

– Truque. Maquiagem. De borracha.

– Acho que não era não.

– E o cara é um imbecil. Vamos e venhamos. Tem cara de abobado. Você não achou?

– Até que não.

– Por amor de Deus, Lã. Já imaginou um cara desses... um cara desses...

– O quê?

O Antônio procurava o que dizer. Finalmente disse:

– Lendo Rilke?

A Lana fez um ruído de desdém.

– Não sei o que ler Rilke adiantou para certas pessoas...

Eu sabia que nós não devíamos ter ido, pensou o Antônio.

ELES &/OU ELAS

A COMADRE

O veraneio terminou mal. A idéia dos dois casais amigos, amigos de muitos anos, de alugarem uma casa juntos deu errado. Tudo por culpa do comentário que o Itaborá fez ao ver a Mirna, a comadre Mirna, de biquíni fio dental pela primeira vez. Nem tinha sido um comentário. Mais um som indefinido.

– Omnahnmon!

Aquilo pegara mal. A própria Mirna sorrira sem jeito. O compadre Adélio fechara a cara, mas decidira deixar passar. Afinal, era o primeiro dia dos quatro na praia, criar um caso naquela hora estragaria tudo. Eram amigos demais para que um simples deslize – o som fora involuntário, isto era claro – acabasse com tudo. E, ainda por cima, a casa já estava paga por um mês.

Naquela noite, no quarto, a Isamar pediu satisfação ao marido.

– Pô, Itaborá. Qual é?

– Não pude controlar, puxa.

– Na cara do Adélio!

– Eu sei. Foi chato. Mas saiu. Que que eu posso fazer?

– Nós conhecemos a Mirna e o Adélio há o quê? Quase dez anos.

– Mas eu nunca tinha visto a bunda da Mirna.

– Ora, Itá!

– Não. Entende? A gente pode conviver com uma pessoa dez, vinte anos, e ainda se surpreender com ela. A bunda da Mirna me surpreendeu, é isso. Me pegou desprevenido.

– Vai dizer que você nunca nem imaginou como era?

97

– Nunca. Juro. Nem me passou pela cabeça. E de repente estava ali toda. Sei lá. Toda ali.

– Pois vê se te controla.

Pelo resto do veraneio o Itaborá fez questão de nem olhar para o fio dental da comadre. Quando os quatro iam para a praia, se apressava a caminhar na frente. Se por acaso as nádegas da comadre passassem pelo seu campo de visão, olhava para o alto, tapava o rosto com o jornal, assobiava.

Um dia, o Itaborá e o Adélio sentados no quintal, a Mirna recém servira a caipirinha, de biquíni, e se dirigia de volta para a casa, e o Itaborá suspirou.

– Que foi?– perguntou o Adélio, agressivo.

– Essa política econômica – disse o Itaborá. – Sei não. Não levo fé.

– Ah – disse o Adélio.

Até o fim do veraneio ficou aquela coisa chata entre os quatro. O Itaborá não podia tossir que todos o olhavam, desconfiados.

O MENDONCINHA

Estou me acostumando com a idéia de considerar cada ato sexual como um processo em que, no mínimo, quatro pessoas estão sempre envolvidas. S. Freud

– Tente relaxar...

– Desculpe. É que tem uma parte de mim que, entende? Fica de fora, distanciada, assistindo a tudo. Uma parte que não consegue se entregar...

– Eu entendo.

– É como se fosse uma terceira pessoa na cama.

– Certo. É o seu superego. O meu também está aqui.

– O seu também?

– Claro. Todo mundo tem um. O negócio é aprender a conviver com ele.

– Se ele ao menos fechasse os olhos!

– Calma. Eu sei como você se sente. Nestas ocasiões, sempre imagino que a minha mãe está presente.

– A sua mãe?

– É. Ela também está conosco nesta cama.

– Você se analisou?

– Estou me analisando. Pensando bem, ele também está aqui.

– Quem?

– O meu analista. Nesta cama. Meus Deus, ao lado da minha mãe!!

– Meu pai está aqui...

– Seu pai também?

– Meu superego e meu pai.

– O superego e o pai podem ser a mesma pessoa. Será que um não acumula?

– Não, não. São dois. E não param de me olhar.

– Mas sexo é uma coisa tão natural!

– Diz isso pra eles.

– Na verdade, não é mesmo? Nem nós somos só nós. Eu sou o que eu penso que sou, sou como você me vê...

– E a gente também é o que pensa que é para os outros.

– Quer dizer: cada um de nós é, na verdade, três.

– Quatro, contando com o que a gente é mesmo.

– Mas o que que a gente é *mesmo*?

– Sei lá. Eu...

– Espere um pouco. Vamos recapitular. Do seu lado tem você – aí já são no mínimo três pessoas – o seu superego, o seu pai...

– Do seu lado, vocês três, a mãe de vocês e o analista.

– E o meu superego.

– E o seu superego.

– Mais ninguém?

– O Mendoncinha.

– Quem?!

– Meu primeiro namorado. Foi com ele que...

– Espera um pouquinho. O Mendoncinha não.

– Mas...

– Bota o Mendoncinha para fora desta cama.

– Mas...

– Ou sai o Mendoncinha, ou saímos eu e a minha turma!

O Brinco

– Alô?

– Russo, deixa eu falar com a Moira.

– O quê?!

– Eu sei que ela está aí. Passa o telefone pra ela.

– Maurão, você enlouqueceu? O que que a Moira ia estar fazendo aqui a esta hora?

– Eu só quero falar com ela, Russo. Não vou brigar, não vou fazer cena...

– Mas o que é isso? Você sabe que horas são?

– Desculpe se interrompi qualquer coisa, mas eu preciso falar com a Moira.

– Maurão. Escuta. São três da manhã, eu estou dormindo, não tem ninguém aqui comigo e muito menos a... Ó Maurão! O que você pensa que eu sou? Você e a Moira são meus melhores amigos!

– A Moira não é só amiga, não é, Russo? Eu sei. Você e ela...

– Mas que loucura! Maurão...

– Deixe eu falar com ela!

– Quer saber de uma coisa? Vai à... Se a Moira não está em casa eu não tenho nada a ver com isso. Aqui ela não está.

– Você não sabia, mas eu vi você comprando o brinco no calçadão.

– Que brinco?

– Eu vi! E no dia seguinte o brinco apareceu na orelha da Moira.

– E ela disse que eu dei pra ela?

– Ela não disse nada. Eu vi!

– Maurão...

– Você quer que eu faça uma cena? Então está bem. Estou indo praí agora mesmo. Vamos fazer a cena completa, Russo. Marido traído, revólver na mão, tudo. Te prepara!

Maurão desliga. Russo fica por um momento pensativo. Roberto, deitado ao seu lado, não diz nada. Finalmente, Russo fala. Não há rancor em sua voz, só decepção .

– Você e a Moira, é, Roberto?

– Por que eu e a Moira?

– O brinco que eu comprei pra você apareceu na orelha dela.

– Deve ser um parecido.

– Por favor, Roberto. Tudo menos mentira.

– Está bem, eu dei o brinco, Russo. Mas não pra Moira. Pra Lise.

– Pra Lise?!

– É, pra Lise, minha mulher. Juro.

– E a Lise deu pra Moira.

– Será?

– Você sabe onde a Lise está agora, Roberto?

– Deve estar em casa, por quê?

– Porque a Moira não está em casa.

– Você acha que a Lise e a Moira...

– É melhor você ir embora, Roberto. Estou esperando alguém.

– Quem?

– O Maurão vem me matar.

– Eu fico.

– Você vai.

– Está bem.

Roberto levanta da cama, se veste e começa a sair.

– Roberto...

– Ahn?

– Você não gostou do brinco?

FLAGRANTE DE PRAIA

Ela (jovem, linda, sozinha) acabou de passar óleo para bronzear nos braços, depois de passar nas pernas, no colo e no rosto. Olhou em volta. A poucos metros dela, sentado na areia, um homem lia um jornal. Ninguém mais por perto. Ela examinou o homem com cuidado. Tinha aliança? Tinha. Casado. Seus trinta, trinta e cinco anos. Não era feio, apesar do nariz um pouco comprido. Ela falou:

– Por que você estava me olhando?

Ele virou-se para ela, surpreso.

– Falou comigo?

– Por que você estava me olhando?

– Perdão. Eu não estava olhando para você.

– Por que não?

Ele riu, sem saber o que dizer.

Ela continuou:

– O que você está querendo?

– Eu? Nada.

– Tem certeza?

– Eu posso lhe assegurar que...

– Nada mesmo?

– Nada. Juro.

– Você não estava imaginando que o destino deve ter nos colocado aqui, lado a lado na mesma praia, com alguma intenção? Você nem sonhou em me dirigir a palavra? Em me convidar para um programa? Em começar um caso?

– Não. Juro que não.

– Você me acha repelente?

– Não! O que é isso. É que...

Lá vem confidência, pensou ela. Ele vai me dizer que é homossexual. Ou impotente. Ou, meu Deus, que a mulher dele morreu ontem! Mas ele apenas disse:

– Olhe, a última coisa que eu quero no momento é um envolvimento emocional, entende? Nao me leve a mal. Você é uma garota muito atraente, mas eu simplesmente não estou a fim.

Perfeito, pensou ela. Só mais uma pergunta.

– A sua mulher está por perto?

– A minha mulher? Não.

Perfeito. Ela levantou-se, caminhou até onde ele estava, sentou ao seu lado e pediu:

– Me passa óleo nas costas?

FALANDO SÉRIO

Ele disse:
– Ora, reforma agrária...
Ela disse:
– Vai dizer que você é contra?
Ele tentou cair fora:
– O assunto é muito complexo.
Ela insistiu:
– Espera um pouquinho.
– Dá um beijo, vai.
– Espera. Isto é importante. Eu quero saber.
– O quê?
– A reforma agrária. Você é contra?
– Por quê? Você é a favor?
– Mas só sou.
– Você quer que o velho divida as terras dele?
– Teu pai é latifundiário?
– Tremendo lati.
– Eu não sabia!
– Tem muita coisa a meu respeito que você ainda não sabe, boneca. Vem cá que eu te mostro. . .
– Espera. Falando sério.
– Dá uma beijoca.
– Falando sério, pomba.
– Está bem. O que você quer saber?
– Seu pai. Quantos hectares ele tem? Ou acres? É acres ou hectares?

– E eu sei? Nunca fui lá.

– Quantos?

– Um monte.

– Mais ou menos?

– Olha, eles pegam o jipe da fazenda e, num dia, não conseguem chegar ao fim das nossas terras.

– Meu Deus do céu!

– É que o jipe quebra sempre. Dá um beijo, poxa.

– Pára.

– Vem cá, mulher!

– Não vou. Olha, nunca pensei, viu?

– O quê? Que meu velho fosse fazendeiro? Como é que você pensa que eu tou pagando a faculdade? E o carro? E o apartamento? E as nossas alianças de noivado?

– Ele tem terra improdutiva?

– Tem. Exatamente a parte que ele está guardando pra me dar quando eu casar. A nossa terra, amor.

– Mas... E o seu discurso?

– Bom...

– Até eu achava radical. E olha que eu sou meio PT.

– Não vamos brigar por causa disto.

– Tudo o que você vive dizendo. Justiça social...

– Confere.

– A insensibilidade dos ricos no Brasil.

– Mantenho.

– Os escândalos dos sem-terra num país deste tamanho.

– Sustento.

– Vem cá. Outra noite, aqui mesmo, neste bar, você disse que toda a propriedade é um roubo. Eu achei bacanérrimo.

– Foi uma frase que me ocorreu na hora. Mas escuta...

– E agora vem dizer que é contra a reforma agrária.

– Eu não sou contra a reforma agrária. Teoricamente, sou a favor.

– E então?

– Você não entende? Agora não é teoria. Agora são as terras do velho!

LAR DESFEITO

José e Maria estavam casados há 20 anos e eram muito felizes um com o outro. Tão felizes que um dia, na mesa, a filha mais velha reclamou:

– Vocês nunca brigam?

José e Maria se entreolharam. José respondeu:

– Não, minha filha. Sua mãe e eu não brigamos.

– Nunca brigaram? – quis saber Vitor, o filho do meio.

– Claro que já brigamos. Mas sempre fizemos as pazes.

– Na verdade, brigas, mesmo, nunca tivemos. Desentendimentos, como todo mundo. Mas sempre nos demos muito bem...

– Coisa mais chata – disse Venancinho, o menor.

Vera, a filha mais velha, tinha uma amiga, Nora, que a deixava fascinada com suas histórias de casa. Os pais de Nora viviam brigando. Era um drama. Nora contava tudo para Vera. Às vezes chorava. Vera consolava a amiga. Mas no fundo tinha uma certa inveja. Nora era infeliz. Devia ser bacana ser infeliz assim. O sonho de Vera era ter um problema em casa para poder ser revoltada como Nora. Ter olheiras como Nora.

Vitor, o filho do meio, freqüentava muito a casa de Sérgio, seu melhor amigo. Os pais de Sérgio estavam separados. O pai de Sérgio tinha um dia certo para sair com ele. Domingo. Iam ao parque de diversões, ao cinema, ao futebol. O pai de Sérgio namorava uma moça do teatro. E a mãe de Sérgio recebia visitas de um senhor muito camarada que sempre trazia presentes para Sérgio. O sonho de Vitor era ser irmão do Sérgio.

Venancinho, o filho menor, também tinha amigos com problemas em casa. A mãe do Haroldo, por exemplo, tinha se divorciado do pai do Haroldo e casado com um cara divorciado. O padrasto de Haroldo tinha uma filha de 11 anos que podia tocar o *Danúbio Azul* espremendo uma mão na axila, o que deixava a mãe do Haroldo louca. A mãe do Haroldo gritava muito com o marido.

Bacana.

– Eu não agüento mais esta situação – disse Vera, na mesa, dramática.

– Que situação, minha filha?

– Essa felicidade de vocês!

– Vocês pelo menos deviam ter o cuidado de não fazer isso na nossa frente – disse Vitor.

– Mas nós não fazemos nada!

– Exatamente.

Venancinho batia com o talher na mesa e reivindicava:

– Briga. Briga. Briga.

José e Maria concordavam que aquilo não podia continuar. Precisavam pensar nas crianças. Antes de mais nada, nas crianças. Manteriam uma fachada de desacordo, ódio e desconfiança na frente deles, para esconder a harmonia. Não seria fácil. Inventariam coisas. Trocariam acusações fictícias e insultos.

Tudo para não traumatizar os filhos.

– Víbora não! – gritou Maria, começando a erguer-se do seu lugar na mesa com a faca serrilhada na mão.

José também ergueu-se e empunhou a cadeira.

– Víbora, sim! Vem que eu te arrebento.

Maria avançou. Vera agarrou-se ao seu braço.

– Mamãe. Não!

Vitor segurou o pai. Venancinho, que estava de boca aberta e olhos arregalados desde o começo da discussão – a pior até então – achou melhor pular da cadeira e procurar um canto neutro da sala de jantar.

Depois daquela cena, nada mais havia a fazer. O casal teria que se separar. Os advogados cuidariam de tudo. Eles não podiam mais nem se enxergar.

Agora era Nora que consolava Vera. Os pais eram assim mesmo. Ela tinha experiência. A familia era uma instituição podre. Sozinha, na frente do espelho, Vera imitava a boca de desdém de Nora.

– Podre. Tudo podre.

E esfregava os olhos, para que ficassem vermelhos. Ainda não tinha olheiras, mas elas viriam com o tempo. Ela seria amarga e agressiva. A pálida filha de um lar desfeito. Um pouco de pó-de-arroz talvez ajudasse.

Vitor e Venancinho saíam aos domingos com o pai. Uma vez foram ao Maracanã junto com Sérgio, o pai do Sérgio e a namorada do pai do Sérgio, a moça do teatro. O pai do Sérgio perguntou se José não gostaria de conhecer uma amiga da sua namorada. Assim poderiam fazer mais programas juntos. José disse que achava que não. Precisava de tempo para se acostumar com sua nova situação. Sabe como é.

Maria não tinha namorado. Mas no mínimo duas vezes por semana desaparecia de casa, depois voltava menos nervosa. Os filhos tinha certeza de que ela ia se encontrar com um homem.

– Eles desconfiam de alguma coisa? – perguntou José.

– Acho que não – respondeu Maria.

Estavam os dois no motel onde se encontravam, no mínimo duas vezes por semana, escondidos.

– Será que fizemos o certo?

– Acho que sim. As crianças agora não se sentem mais deslocadas no meio dos amigos. Fizemos o que tinha que ser feito.

– Será que algum dia vamos poder viver juntos outra vez?

– Quando as crianças saírem de casa. Aí então estaremos livres das convenções sociais. Não precisaremos mais manter as aparências. Me beija.

FUGA

– Edgar, vê lá, hein?

O Edgar era famoso pelas suas gafes. Embora as negasse.

– O que é isso? Pode deixar.

A mulher ficava em pânico. Depois, contando para os outros, ela ria. "O Edgar fez outra das dele." Mas na hora ficava em pânico.

– Edgar, por amor de Deus...

– Mas que bobagem!

– O Flores e a Noca acabaram de se reconciliar. Ela teve um romance com um violoncelista alemão, fugiu de casa, viveu um ano e meio com o alemão em Munique, mas voltou e agora eles estão juntos de novo. Não fala nem em alemão, nem em violoncelo. Por amor de Deus, Edgar!

– Pode deixar.

Na chegada, quando o Flores abriu a porta, o Edgar exclamou:

– Ó Flores! Cê sempre teve cabelo dessa cor?

– Não. Entrem, entrem. Como vão?

A caminho da sala, a mulher ainda conseguiu dar um beliscão na manga do casaco do Edgar e dizer, entre dentes:

– É pe-ru-ca.

– Que peru?

– Pe-ru-ca, Edgar!

– Ah.

Durante o jantar, tudo bem. A mulher sentiu um frio na barriga quando viu o Edgar examinando o rótulo do vinho alemão.

110

Mas o Edgar só sorriu para a anfitriã, a Noca, e comentou, sem qualquer maldade:

– Coisa muito boa, hein?

"Agora ele vai perguntar se a Noca trouxe da Alemanha, na volta", pensou a mulher, mas o Edgar ficou firme. A mulher respirou, aliviada.

Aconteceu depois do jantar, quando o Flores quis exibir seu novo "laser" e colocou um disco. Bach. Cordas. Se fosse um concerto de violoncelo, diria a mulher, depois, no carro, para o Edgar, ainda vá. Mas mal se ouvia o violoncelo. E no entanto o Edgar dissera:

– Eu me amarro num violoncelo.

Dissera mais:

– Sou tarado por violoncelo.

E mais:

– O que esse alemão safado faz com um violon...

– Edgar!

A mulher tinha se levantado da poltrona. O Edgar levou um susto.

– Que foi?

– Me lembrei! Eu deixei o forno aceso! Temos que voltar para casa!

– Mas...

– Agora mesmo!

No carro, ela não quis ouvir desculpas. O Edgar ainda tentou.

– Ela fugiu com o Bach? Não fugiu.

Mas a mulher não queria conversa. O Edgar ainda a matava.

PERSUASÃO

– Não, bem. Pára.

– Querida...

– Não insista.

– Mas por que não?

– Porque não.

– Você não me ama.

– Não seja bobo. Amo sim. Eu só acho que nestas coisas a gente deve ir devagar. Dar tempo ao tempo.

– Dar tempo ao... Mas o mundo tá acabando!

– Não faça drama. Só porque eu não quero não quer dizer que o mundo vai acabar.

– Mas o mundo está acabando mesmo! Você não lê os jornais? Tá chegando no fim. Não há mais tempo para nada.

– Exagero.

– Que exagero?! Temos que aproveitar a vida agora. Hoje. Fazer tudo, provar tudo...

– Pára, eu já disse.

– Escuta aqui, e o cometa?

– Que tem o cometa?

– O cometa é um sinal. Pensa que é por acaso que o cometa taí? É um aviso. O fim não tarda. O fim pode ser amanhã mesmo!

– Me larga. Olha que eu vou embora.

– Está bem. Só me diz uma coisa. E a crise?

– Qual é a crise?

– Pois é, qual delas? Tá tudo em crise. Falta papel, carne. . .

– Folha-de-flandres.

– Folha-de-flandres, óleo comestível, gasolina, material de construção. Sabe como é que nós vamos acabar?

– Agora você ficou brabo.

– Sabe como é que nós vamos acabar? Cavando a terra atrás de mandioca. É. Você e eu brigando por uma raiz, por capim. Água também não vai ter, tá toda contaminada. E eu estou sendo otimista, porque...

– Não fica exaltado, bem.

– Porque pode estourar uma guerra a qualquer momento! Aí é que eu quero ver.

– Querido...

– E você ainda quer dar tempo ao tempo. Essa é muito boa. Acho que antes do fim do ano vai ter gente brigando de tacape por um ratão de esgoto. É. E quem ganhar come ele cru, porque nem lenha vão encontrar mais. E gente assim do nosso nível.

– Vem cá. Te acalma, puxa. Encosta aqui.

– Tempo ao tempo. Tem que ser tudo agora. Rápido. Aproveita enquanto dá.

– Está certo, você me convenceu.

– Ratão de esgoto, ouviu bem? E sem sal, que também vai faltar. Como, te convenci?

– Me convenceu. Agora eu quero. Você tem razão, temos que aproveitar a vida antes que a crise tome conta. Vamos.

– Peraí um pouquinho.

– Vem, bem. Você não queria tanto?

– Pois é, mas agora fiquei meio deprimido.

O MARIDINHO E A MULHERZINHA

Todos conhecem o Maridinho. Sempre bem arrumado. E perfumado. Quando tem alguém novo no grupo, o Maridinho se apresenta com uma pergunta:

– Como é que a sua esposa lhe chama?

– "Ei, você!" "Ó peste." Às vezes até pelo nome...

Os outros dão risada mas o Maridinho fica sério. Espera até que o barulho acabe e então continua:

– A minha mulher me chama de *Maridinho*.

Os outros fazem força para não rir. O novo no grupo pergunta:

– Maridinho?

– Ela me adora – diz o Maridinho, faceiro. – Agora mesmo ela me vestiu, me penteou e me deixou sair para dar uma volta.

– É a sua mulher que veste você?

– É. Depois de me dar banho.

– E deixou você sair para dar uma volta...

– E ai que não deixasse. Ai que não deixasse!

– O que é que você faria?

– Me atirava no chão e começava a espernear. Comigo é assim. Dureza.

– E você pode ficar na rua o tempo que quiser?

– Você está brincando? O tempo que quiser. Até escurecer, é claro.

– Ela não quer que você fique na rua de noite?

– Não.

O Maridinho aproxima-se do outro para cochichar. Diz:

– Você sabe que maridinho solto na rua depois que escurece a carrocinha pega?

– A carrocinha?

– Tem uma carrocinha que pega maridinho solto e leva para fazer sabão. Minha mulher me contou.

– Sua mulher lhe contou...

– Ela me adora.

– Mas você às vezes não tem vontade de ficar na rua, tomar uns chopes...

– Não diga essa palavra!

– Que palavra?

– Não posso dizer.

– Chope?

– É.

– Você não pode dizer nem a palavra?

– Não. Senão eu chego em casa, minha mulher cheira o meu hálito e diz: "Você andou dizendo chope". Ai, meu Deus, agora eu já disse...

– E o que é que acontece?

– Ela me bota de castigo, sem comida.

– E você aceita isso?

– Claro que não! Está pensando o quê? Mulher nenhuma vai me dominar. Depois que ela dorme eu vou na cozinha e como uma bolacha. Comigo é assim.

– Dureza...

– Dureza. Levantou a voz comigo, já sabe.

– O que é que acontece?

– Eu choro.

– Mas vem cá...

O Maridinho interrompe o outro com o dedo na frente dos lábios.

– Shhh. Ouviu isso? É a mulher me chamando. Tenho que voltar para casa.

– Eu não ouvi nada.

– Ela usa um apito especial. Só maridinho é que ouve. Tenho que ir.

– Mas olha, dureza, hein?

– Dureza. Comigo é assim.

Esta história é da Mulherzinha. O marido sempre a tratava assim. "Minha mulherzinha..." Tinha um enorme carinho pela mulher. Olhava para ela como se olha para uma criança, ou para um cachorrinho. Sua mulherzinha. Ela às vezes tentava reclamar, reagir, e então ele ria muito. Virava-se para quem estivesse perto e dizia:

– Viram só? Ela virou fera! Essa mulherzinha...

E a abraçava ternamente.

A mulherzinha vivia na sombra do marido. Quando tentava dar a sua opinião sobre algum assunto mais sério, ele piscava o olho, afagava a sua cabeça e dizia:

– Não preocupa essa cabecinha linda com essas coisas. Vai fazer um cafezinho pra gente, vai.

A mulherzinha se resignava. E um dia o marido chegou em casa, foi dar um beijo na sua testa, como fazia sempre, e não acertou a testa.

– Ué, você está diminuindo de tamanho?

Mas não esperou para ouvir a resposta. Nunca ouviu as respostas da mulher. Ela era o seu mimo. O seu cachorrinho. Naquela noite notou que a mulher realmente parecia estar encurtando. E na manhã seguinte levou um susto. A mulher estava do tamanho de uma criança. Quando a carregou pela mão ao médico, preocupadíssimo, ela já estava da altura do seu joelho.

O médico não soube explicar o fenômeno. A mulher permanecia perfeitamente proporcionada, só menor. O marido apavorou-se. Não era apenas o fato de não ter mais uma mulher para abraçar. Ela não podia fazer as coisas que fazia antes. Levava dois, três dias para servir uma meia. Tinha que trazer o cafezinho xícara por xícara, pois não agüentava o peso de mais de uma. Não podia mais cozinhar sob risco de cair na panela. Ia na feira e trazia um tomate na cabeça, como uma trouxa. Um aspargo debaixo do braço. Para costurar os botões na camisa do marido, tinha que segurar a agulha com as duas mãos. Os amigos, estranhando que não eram mais convidados para visitar a casa deles, perguntavam:

– Como vai a mulherzinha?

E o marido queria brigar. Quem é que você está chamando de mulherzinha?

Um dia, aconteceu. O marido chegou em casa com uma caixa de bombons para a mulher – ela levava um dia só para chegar no

recheio – e não a encontrou. Tinha desaparecido. Estava, provavelmente, do tamanho de um cisco. E até hoje o marido anda pela
casa na ponta dos pés, cuidando onde pisa, para não pisar na sua
mulherzinha. Desconsolado.

ECOS DO CARNAVAL

Com o tempo, o casal desenvolvera um código para se comunicar de longe nas reuniões sociais. Quando ele esfregava o nariz queria dizer "vamos embora". Quando ela puxava o lóbulo da orelha esquerda queria dizer "cuidado", geralmente um aviso para ele mudar de assunto. Puxar o lóbulo da orelha direita significava "pare de beber". Se ele então girasse a alianca do dedo, era para dizer "não chateia". Se depois ela coçasse o queixo, era "você me paga".

Naquela noite, houve confusão nos sinais. Mais tarde, em casa, ela gritava: "Você não me viu quase arrancar a orelha esquerda, não?!" Era para ele mudar de assunto, mas ele tinha bebido tanto que confundira a orelha esquerda dela com a direita e pensara que a mensagem era não beber mais. E, enquanto girava a aliança acintosamente no dedo, continuara a contar o caso que tinha ouvido, às gargalhadas. O caso das vassouradas.

Acontecera durante o carnaval. A mulher voltara da praia de surpresa, na quinta de noite, e cruzara na porta da casa com o marido, que saía de sarongue. Se não estivesse de sarongue ele teria inventado uma história para justificar a saída àquela hora. Uma súbita vontade de comer um pastel, um amigo doente, qualquer coisa. O sarongue inviabilizara qualquer desculpa. Um sarongue nao se disfarça, não se explica, não se nega. O sarongue é o limite da tolerância e do diálogo civilizado. E como o diálogo era impossível, a mulher partira para a agressão. Buscara uma vassoura dentro de casa. E correra com o homem para dentro da casa a vassouradas. A vassouradas!

– Você não sabia que foi com eles que aconteceu? Com os donos da casa? – gritava agora a mulher. E completava: – Seu pamonha!

– Como é que eu ia saber? Me contaram a história mas não me deram os nomes!

– E eu puxando a orelha feita uma doida!

Mais tarde, já na cama, ele racionalizou:

– Bem feito.

– O quê?

– Pra ela. Não se bate num homem com uma vassoura.

– Ah, é? E o sarongue?

– Não interessa. Nada justifica a vassoura.

– Sei não...

– Podia bater. Mas não com vassoura.

E indignado, como se estabelecesse um dogma:

– Vassoura, não!

Aí a mulher disse que o mal já estava feito e o melhor que eles tinham a fazer era repassar o código, para que coisas como aquela não acontecessem mais.

A Mentira

João chegou em casa cansado e disse para a mulher, Maria, que queria tomar um banho, jantar e ir direto para a cama. Maria lembrou a João que naquela noite eles tinham ficado de jantar na casa de Pedro e Luísa. João deu um tapa na testa, disse um palavrão e declarou que de maneira nenhuma, não iria jantar na casa de ninguém. Maria disse que o jantar estava marcado há uma semana e seria uma falta de consideração com Pedro e Luísa, que afinal eram seus amigos, deixar de ir. João reafirmou que não ia. Encarregou Maria de telefonar para Luísa e dar uma desculpa qualquer. Que marcassem o jantar para a noite seguinte.

Maria telefonou para Luísa e disse que João chegara em casa muito abatido, até com um pouco de febre, e que ela achava melhor não tirá-lo de casa àquela noite. Luísa disse que era uma pena, que tinha preparado uma *Blanquette de Veau* que era uma beleza, mas que tudo bem. Importante é a saúde e é bom não facilitar. Marcaram o jantar para a noite seguinte, se João estivesse melhor.

João tomou banho, jantou e foi se deitar. Maria ficou na sala vendo televisão. Ali pelas nove bateram na porta. Do quarto, João, que ainda não dormira, deu um gemido. Maria, que já estava de camisola, entrou no quarto para pegar seu robe-de-chambre. João sugeriu que ela não abrisse a porta. Naquela hora só podia ser chato. Ele teria que sair da cama. Que deixasse bater. Maria concordou. Não abriu a porta .

Meia hora depois, tocou o telefone, acordando João. Maria atendeu. Era Luísa querendo saber o que tinha acontecido.

120

– Por quê? – perguntou Maria.

– Nós estivemos aí há pouco, batemos, batemos e ninguém atendeu.

– Vocês estiveram aqui?

– Para saber como estava o João. O Pedro disse que andou sentindo a mesma coisa há alguns dias e queria dar umas dicas. O que houve?

– Nem te conto – contou Maria, pensando rapidamente. – O João deu uma piorada. Tentei chamar um médico e não consegui. Tivemos que ir a um hospital.

– O quê? Então é grave.

– A febre aumentou. Ele começou a sentir dores no corpo.

– Apareceram pintas vermelhas no rosto – sugeriu João, que agora estava ao lado do telefone, apreensivo.

– Estava com o rosto coberto de pintas vermelhas.

– Meu Deus. Ele já teve sarampo, catapora, essas coisas?

– Já. O médico disse que nunca tinha visto coisa igual.

– Como é que ele está agora?

– Melhor. O médico deu uns remédios. Ele está na cama.

– Vamos já para aí.

– Espere!

Mas Luísa já tinha desligado. João e Maria se entreolharam. E agora? Não podiam receber Pedro e Luísa. Como explicar a ausência das pintas vermelhas?

– Podemos dizer que o remédio que o médico deu foi milagroso. Que eu estou bom. Que podemos até sair juntos para jantar – disse João, já com remorso.

– Eles iam desconfiar. Acho que já estão desconfiados. É por isso que vêm para cá. A Luísa não acreditou em nenhuma palavra que eu disse.

Decidiram apagar todas as luzes do apartamento e botar um bilhete na porta. João ditou o bilhete para Maria escrever.

– Bota aí: "João piorou subitamente. O médico achou melhor interná-lo. Telefonaremos do hospital".

– Eles são capazes de ir ao hospital à nossa procura.

– Não vão saber que hospital é.

– Telefonarão para todos. Eu sei. A Luísa nunca nos perdoará a *Blanquette de Veau* perdida.

– Então bota aí: "João piorou subitamente. Médico achou melhor interná-lo na sua clínica particular. O telefone lá é 236-6688".

– Mas esse é o telefone do seu escritório.

– Exato. Iremos para lá e esperaremos o telefonema deles.

– Mas até que a gente chegue ao seu escritório...

– Vamos embora!

Deixaram o bilhete preso na porta. Apertaram o botão do elevador. O elevador já estava subindo. Eram eles!

– Pela escada, depressa!

O carro de Pedro estava barrando a saída da garagem do edifício. Não podiam usar o carro. Demoraram para conseguir um táxi. Quando chegaram ao escritório de João, que perdeu mais tempo explicando ao porteiro a sua presença ali no meio da noite, o telefone já estava tocando. Maria apertou o nariz para disfarçar a voz e atendeu:

– Clínica Rochedo.

"Rochedo?!" espantou-se João, que se atirara, ofegante, numa poltrona.

– Um momentinho, por favor – disse Maria.

Tapou o fone e disse para João que era Luísa. Que mulherzinha! O que a gente faz para preservar uma amizade. E não passar por mentiroso. Maria voltou ao telefone.

– O sr. João está no quarto 17, mas não pode receber visitas. Sua senhora? Um momentinho por favor.

Maria tapou o fone outra vez.

– Ela quer falar comigo.

Atendeu com a sua voz normal.

– Alô, Luísa? Pois é. Estamos aqui. Ninguém sabe o que é. Está com pintas vermelhas por todo o corpo e as unhas estão ficando azuis. O quê? Não, Luísa, vocês não precisam vir para cá.

– Diz que é contagioso – sussurrou João, que com a cabeça atirada para trás preparava-se para retomar o sono na poltrona .

– É contagioso. Nem eu posso chegar perto dele. Aliás, eles vão evacuar toda a clínica e colocar barreiras em todas as ruas aqui perto. Estão desconfiados que é um vírus africano que. . .

Fantástico, os Olhos de Boxer

Discordavam sobre coisas pequenas. Ela, por exemplo, adorava o Nelson Ned: ele não gostava. Mas nunca tinham brigado de verdade. Até que um dia...

Um dia (era domingo) ele ligou a televisão para ver um programa de debate esportivo e ela disse que queria ver o *Fantástico*. Ele olhou para ela, meio confuso.

– Como, *Fantástico*?

– *Fantástico, o show da vida.*

– Sim, minha filha, mas...

– E outra coisa, não me chame de sua filha.

Ele tinha 34 anos, ela tinha 29. Estavam casados há oito anos. Tinham dois filhos, Denise, de seis, e Júnior, de quatro. Uma irmã dela, asmática, morava junto. Havia um acordo tático: domingo, ele escolhia os programas na televisão. E sempre via o debate esportivo.

– Que é que há? – perguntou desconfiado.

– Não há nada, eu quero ver *Fantástico, o show da vida*, só isso.

– Eu também – disse, timidamente, a cunhada asmática, que sempre sentava numa das cadeiras da mesa de jantar para ver televisão. Ficava apoiada com um braço fino sobre a mesa. No centro da mesa havia um prato de louça com frutas artificiais.

Ele olhou para a cunhada, de boca aberta, depois para a mulher. Era preciso pensar antes de reagir. Era um homem razoável, nunca tinham brigado antes. Só por coisas pequenas.

– Mas domingo eu sempre vejo o meu programa.

– Hoje eu quero ver o *Fantástico*.

– Eu também – repetiu a cunhada, com mais força.

Ele ficou de pé num salto. Como se tivesse tomado a decisão de acabar de uma vez por todas com aquela bobagem. Com aquele motim. Afinal, o que é que estavam pensando. Mas não tinha nada para dizer e sentou-se em seguida, com cara de assunto encerrado. Como se só o seu gesto de ficar de pé já tivesse restabelecido a hierarquia do domingo, e estava acabado. Mas a mulher caminhou ameaçadoramente para o aparelho de televisão. Era preciso pensar depressa.

– Minha filha...

– Não me chame de sua filha.

Ela nem virara a cabeça para dizer isto. Abaixava-se para girar o seletor de canal. Ele sentiu que aquele era o momento definitivo do seu casamento.

– Não toque nesse botão.

A mulher hesitou, depois tocou no botão. Mas não o girou. A mulher ficou imóvel. Ele reforçou a sua ordem com uma ameaça vaga mas firme.

– Se você virar esse botão, não sei não.

– Vira! – disse a cunhada, com surpreendente autoridade.

Ele ergueu-se outra vez, desta vez devagar como se temendo que qualquer movimento mais brusco pudesse precipitar os acontecimentos. Ele podia até levar uma maçã artificial pelas costas, tudo era possível. Recuou até ficar de frente para as duas irmãs. Apontou para a mulher.

– Afaste-se dessa televisão.

"Afaste-se." Nunca falara assim antes. A gravidade da situação impunha uma certa solenidade à linguagem. Falava como filme dublado na televisão.

A mulher endireitou-se. Olhou para a irmã. Sem se falarem, sem qualquer sinal, mas como se tudo estivesse previamente combinado "se ele resistir a gente pega e...", as duas caminharam na direção da cozinha. Ele sentiu que sua vitória precisava ser consolidada. Era frágil ainda, o inimigo mantinha a iniciativa. E a vantagem do fator surpresa. Elas já tinham desaparecido pela porta da cozinha quando ele gritou:

– E quero meu jantar em seguida!

Durante dois, três minutos, ele ficou imóvel, encostado no guarda-louça, tentando decifrar os sons que vinham da cozinha. O seu coração batia. Era um homem razoável, não gostava de briga. Casara com ela por causa de seu gênio dócil, submisso. Aqueles olhos de cachorro boxer... A Denise estava no seu quarto. O Júnior dormia. Ele não fazia um movimento, encostado no guarda-louça, esperando a reação das duas irmãs.

E de repente, ele se lembrou. Meu Deus! É o aniversário dela! Eu me esqueci por completo! Precipitou-se na direção da cozinha, ensaiando o seu pedido de desculpas. "Minha filha..."

O almoço fora galinha. O que sobrara da galinha seria servido à noite, frio, com salada. Ele ainda não tinha chegado na porta quando viu passarem por ele, em formação como uma esquadrilha, vários pedaços de galinha, arremessados da cozinha. Parou onde estava, de olhos arregalados. Segundos depois uma porção de salada também atravessava a sala e ia espalhar-se no chão, em frente à televisão.

Quando, meia hora depois, as mulheres voltaram para a sala para investigar o silêncio, o encontraram ainda de pé, os olhos arregalados, olhando fixo para uma Santa-Ceia na parede. Chamaram um primo que era médico. Ela pediu desculpas ao marido, a cunhada chorava de remorso, mas quando ele voltou a si e viu as duas ao lado da cama, encolheu-se para junto da parede como quem acaba de ver um monstro no quarto.

Ele tirou licença da repartição, passou 40 dias em casa de pijama vendo televisão. Quem escolhia os programas era a mulher. Até aos domingos. Ela escolhia o *Fantástico* e ele ficava olhando para as duas irmãs durante todo o programa com cara de quem quer compreender.

DIÁLOGO

Toca a campainha e o homem vai abrir a porta, não sem antes dar um passo de dança. Na porta está uma mulher. No caso, "mulher" é eufemismo. Ela é mais do que isto. Se Deus fosse mandar uma amostra do seu trabalho para concurso, mandaria ela. Preciso me lembrar desta frase para dizer depois, pensa ele.

– Alô – diz ela.

– Alô. Entre.

Ela entra e olha em volta.

– Eu sou a primeira?

– Não. Desde os 15 anos que eu... Ah, você quer dizer a primeira a chegar. É, é.

– Bonito, seu apartamento.

– Depois que você chegou ele ficou.

– O quê?

– Bonito?

– Mmmm.

Que diálogos, pensou ele. Que diálogos! A noite prometia.

– Me dê seu casaco, sua bolsa...

Ela dá. Ele fica parado ao seu lado. Ela diz:

– Eu não vou tirar mais nada...

– Ah. Certo, certo.

Ele vai guardar o casaco e a bolsa. Ela examina a sala do apartamento. Em cima da mesa de centro há um balde com uma garrafa de champanhe em água gelada e dois copos compridos. O homem volta. A mulher diz:

– Você não falou que ia ter uma festa?

– Onde você estiver, é uma festa.

– Mas você disse que haveria convidados.

– Sim.

– Eu só vejo dois copos.

– Yes.

– E os outros?

– Que outros?

– Os outros convidados.

– Mmm. Sim. Bem. Se eles chegarem, eu...

– "Se"? Quer dizer que eles podem não vir?

– Pode ter havido um esquecimento.

– Eles podem ter se esquecido de vir à festa?

– Ou eu posso ter esquecido de convidar...

– Já vi tudo. A *festa* é só nós dois.

– Eu prefiro grupos pequenos. Você não?

Que *timing*. Que marcação. E não tem ninguém gravando isto! A mulher sorri e rodopia no meio da sala. Seu vestido branco esvoaça. Que pernas, que noite! Ele serve champanhe para os dois. Ela fala.

– Vou avisando uma coisa...

– O quê?

– Esta noite eu sou a Cinderela.

– Cinderela? Por quê?

– Até a meia-noite me comportarei como uma dama...

Ele ensaia um passo, arqueia uma sobrancelha e pergunta:

– E à meia-noite?

Ela o afasta com uma mão.

– À meia-noite eu saio correndo.

– Não há por que se preocupar. Se você é Cinderela, eu serei seu servo, seu cocheiro, seu escravo.

– Então me serve mais champanhe, servo.

Ele serve, pensando: "Tomara que ela diga que as bolinhas do champanhe fazem cócegas no seu nariz..."

– As bolinhas do champanhe fazem cócegas no meu nariz...

– Isso eu também faço e não sou champanhe.

– O quê?

– Cócegas no seu nariz.

– Não entendi.

– Esquece, esquece.

Não se pode acertar todas, pensa ele.

127

– Você não quer conhecer a minha biblioteca? – pergunta.
– Quero.
– Venha. Traga o seu copo.
– Mas, espere... Ali é o seu quarto.
– Minha biblioteca fica no quarto. Os dois livros, ao lado da cama.
– Então traga para cá.
– A cama?
– Os livros.

Ele a enlaça pela cintura. Rodopiam juntos, depois caem no sofá. Ele pega a garrafa de champanhe e serve mais um pouco.

– Acho que você está querendo me embebedar...

Quem diz isto é ele.

– Se você já abriu o champanhe agora, o que é que nós vamos abrir à meia-noite? – pergunta ela.

– Talvez um zíper ou dois...

Preciso me lembrar de tudo isto para contar depois, pensa ele. De algum lugar do apartamento vem a voz de Frank Sinatra.

– É meia-noite.
– Como é que você sabe?
– Meu cuco.
– Pensei que fosse o Frank Sinatra...
– A imitação não é perfeita? Ele usa até o mesmo tipo de chapéu.

Ela tenta levantar do sofá.

– Hora de ir embora...
– Daqui você não sai, Cinderela.
– Mas você não disse que era o meu servo?
– Disse.
– Pois eu estou ordenando que você me leve para casa.
– Não.
– Por que não?
– Porque bateu a meia-noite e eu me transformei num rato! Feliz Ano Novo.

Meia hora depois ela está nua, embaixo dos lençóis, e ele está numa mesa do quarto, escrevendo.

– Você não vem? – pergunta ela.

– Só um pouquinho. Estou tomando umas notas para não esquecer nada depois. Quando você falou que o champanhe fazia cócegas no nariz, o que foi que eu disse mesmo?

ANIVERSÁRIO

Ruy e Nara foram para a cama na hora de sempre. Ruy pegou seu livro. Mas a Nara queria conversa.

– Meu bem...

– Mmmmm?

– Sabe que dia é hoje?

– Quinta.

– Do mês.

– Ahn... Dezoito.

– E então?

– Então, o quê?

– Pense bem. É um aniversário.

Meu Deus, pensou o Ruy. Esqueci o nosso aniversário de casamento outra vez, como no mês passado. Mas se tinha sido no mês passado, não podia ser agora. O aniversário dela também não era. Ou era?

– Que aniversário? – perguntou.

– De uma coisa que aconteceu há muitos anos...

– Muitos anos?

– Antes do nosso casamento.

– Não consigo me lembrar.

– No sofá da minha casa...

– No sofá da sua casa?

– Lembrou agora?

Seria possível? A Nara dera para aquilo, agora. Ele forçou um sorriso, fez um ruído indefinido e voltou à sua leitura. Mas ela insistiu.

129

– Meu bem...

– Mmmmm?

– Vamos comemorar?

– Vamos – suspirou o Ruy, colocando o livro sobre a mesa de cabeceira.

Virou-se para a mulher. Os dois se beijaram. Depois Ruy pegou o livro outra vez. Nara protestou:

– Mas, só isso?

– Só isso, o quê?

– Só um beijo, Ruy?

– Se eu me lembro, naquele dia foi só um beijo.

– Sim, mas...

– Eu insisti, mas você não quis.

– Mas Ruy!

– Eu não insisti? Não pedi mais do que um beijo? E o que foi que você disse?

– Eu disse "não".

– Suas exatas palavras. "Não".

– Mas depois eu deixei, Ruy.

– Dois meses depois. Dois meses e meio!

– Ah, Ruy...

– Não.

– Então vamos comemorar o que aconteceu dois meses depois.

– Eu, nessas coisas, sou ortodoxo. Aniversário é no dia!

ESCALÕES

– Sabe quem está muito cotado para fazer parte do Governo?

– Conta.

– O marido da Alba.

– Que Alba?

– Aquela baixinha. Você conheceu no cabeleireiro.

– Tenho uma vaga lembrança

– Uma que pinta o cabelo de cobre. Fala muito *barra* porque ouviu na novela.

– Acho que sei quem é. Que horror.

– Pois é. Vai para Brasília.

– O marido é militar, é?

– Não, não. Área econômica. Parece coisa importante.

– Preciso investigar.

– Alô!

– Alô, Albinha? Aqui quem fala é Vivian Malheiros de Lima e Lima. Nos conhecemos no ca...

– Mas claro! Como vai?

– Muito bem. E você? Já fazendo as malas?

– Nem me fala. Uma barra.

– Os amigos podem saber para que posto vai o... o...

– O Jorge Augusto? Olha, Vivian, a coisa ainda é meio secreta. O Jorge Augusto não fala muito no assunto, em casa. Só sei que é coisa certa.

– Está me cheirando a primeiro escalão...

– A quê?

– Ministério, Albinha. E o Jorge Augusto merece.

– Não sei. Vai ser uma barra...

– O que é isso, querida? Precisamos comemorar. Vocês estão livres na sexta?

– Sexta-feira? Bem...

– Quero oferecer um jantarzinho para vocês, meu bem. Meu marido, de tanto me ouvir falar em vocês, está louco para conhecer o João Augusto.

– Jorge Augusto. Olha, acho que vai dar. Mas depois da novela, hein?

– Nove e meia, está bem? Só nós e mais uns três ou quatro casais.

– Ótimo, Vivian.

– As minhas amigas me chamam de Vica.

– Ótimo, Vica!

– Jorge Augusto Souza Santos? Nunca ouvi falar.

– Ou Santos Souza. Por aí.

– Tem certeza de que é primeiro escalão?

– Coisa certa.

– Estranho...

– Alô, Vica? É a Alba.

– Oi, Albinha!

– Estou telefonando por uma bobagem, mas é que eu sou meio chata nessas coisas, sabe como é? O jantar na sua casa, é com que traje?

– Esportivo, Albinha, esportivíssimo. Coisa bem informal. É só para os nossos maridos se conhecerem melhor. Venham como quiserem.

– Então está bom, Vica.

– Alguma novidade sobre o posto do Jorge, Albinha?

– Ah! Parece que não é primeiro não.

– Primeiro o quê?

– Escalão.

– Mmmm.

– Segundo escalão é até melhor. Mais estável. O tráfego de influência é maior.

– Espero que você reconheça o que estou fazendo por você, Antônio. Ter que agüentar a tal de Alba... Aposto que ela vem ao meu jantar de tafetá.

– Alô, Vica?

– Sim, Alba.

– Sobre o jantar de amanhã, outra vez. O Jorge Augusto queria levar alguma coisa. Quem sabe um vinho...

– Não precisa nada, Alba. A bebida está incluída no preço.

– Essa é boa, Vica. Você, hein? Uma barra.

– Alguma notícia de Brasília, Alba?

– Bom, já sabemos que segundo escalão não é.

– Terceiro?

– Tem alguma coisa abaixo de terceiro, Vica?

– Tem, mas aí já é subsolo, Alba.

– Parece que é quarto escalão.

– Já sei. O cara vai ser contínuo. Você e as suas amizades, Vica.

– Minhas amizades, não senhor. Nem conheço a peça. E agora? O jantar está marcado.

– Problema seu.

– Alô, Sra. Alba Santos Souza?

– Souza Santos. Sim, sou eu.

– Aqui é da parte de Vivian Malheiros de Lima e Lima. A senhora Lima e Lima lamenta, mas não poderá receber para jantar hoje, como estava combinado.

– Por quê? Algum problema?

– Hepatite.

A FRASE

O melhor texto de publicidade que eu já vi era assim: uma foto colorida de uma garrafa de uísque Chivas Regal e, embaixo, uma única frase: "O Chivas Regal dos uísques".

O anúncio é americano. Em algum anuário de propaganda, desses que a gente folheia nas agências em busca de idéias originais na esperança de que o cliente não tenha o mesmo anuário, deve aparecer o nome do autor do texto. No dia em que eu descobrir quem é, mando um telegrama com uma única palavra. Um palavrão. Que tanto pode expressar surpresa quanto admiração, inveja, submissão ou raiva. No meu caso, significará tudo ao mesmo tempo. Palavrão PT Segue carta explosiva PT Abraços etc.

Duvido que o autor da frase receba o telegrama. O cara que escreveu um anúncio assim não recebe mais telegramas. Não atende mais nem a porta. Não se mexe da cadeira. Não lê mais nada, não vê televisão, não vai a cinema e fala somente o indispensável. Passa o dia sentado, de pernas cruzadas, com o olhar perdido. Alimenta-se de coisas vagamente brancas e bebe champanhe *brut* em copos de tulipa. Com um leve sorriso nos cantos da boca.

Foi o sorriso que finalmente levou sua mulher a pedir o divórcio. Ela agüentou tudo. O silêncio, a indiferença, as pernas cruzadas, tudo. Mas o sorriso foi demais.

"Bob (digamos que o seu nome seja Bob), você não vai mais trabalhar?"

Sorriso.

"Nunca mais, Bob? Há uma semana que você não sai dessa cadeira."

Sorriso.

"Bob, o Bill disse que o seu lugar na agência está garantido, quando você quiser voltar. Mas eles não podem continuar pagando se você não voltar."

Sorriso.

"As crianças precisam de sapatos novos. O aluguel do apartamento está atrasado. Meu analista também. Nosso saldo no banco se foi com a última caixa de champanhe que você mandou buscar."

Sorriso.

"Sabe o que estão dizendo na agência, Bob? Que o seu texto para o Chivas Regal foi pura sorte. Que foi genial, mas você não faz dois iguais àquele. Você precisa ir lá mostrar para eles, Bob. Faça alguma coisa, Bob!"

Bob fez alguma coisa. Descruzou as pernas e cruzou outra vez. Sorrindo.

A mulher tratou do divórcio sozinha. Na hora das despedidas, ele inclinou-se levemente na poltrona para beijar as crianças mas não disse uma palavra. Continua sentado lá até hoje.

Levanta-se para ir ao banheiro, trocar de roupa e telefonar para fornecedores de enlatados e champanhe. Os que ainda lhe dão crédito. O resto do tempo fica sentado, as pernas cruzadas, o olhar perdido. E o sorriso.

Uma faxineira vem uma vez por semana, limpa o apartamento (há pouco para limpar, ele não toca em nada) e vai embora. Abanando a cabeça. Pobre do sr. Bob. Um moço tão bom.

Os amigos preocupam-se com ele. A agência lhe faz ofertas astronômicas para voltar. Ele responde a todos com monossílabos e vagos gestos com o copo de tulipa. E todos vão embora, abanando a cabeça.

Contam que a mesma coisa aconteceu com o primeiro homem a escalar o Everest. Para começar, quando chegou no topo, no cume da montanha mais alta da Terra, ele tirou um banquinho da sua mochila, colocou o banquinho exatamente no pico do Everest e subiu em cima do banquinho! O guia nativo que o acompanhava não entendeu nada. Se entendesse, estaria entendendo o homem branco e toda a história do Ocidente. De volta à civilização o homem que conquistou o Everest passou meses sem falar com ninguém e sem olhar fixamente para nada. Se tinha mulher e filhos, esqueceu. E tinha um leve sorriso nos cantos da boca.

Você precisa entender que quem escreve para publicidade está sempre atrás da frase definitiva. Não importa se for sobre um uísque de luxo ou uma liquidação de varejo, importa é a frase. Ela precisa dizer tudo o que há para dizer sobre qualquer coisa, num decassílabo ou menos. Tão perfeita que nada pode segui-la, salvo o silêncio e a reclusão. Você atingiu o seu próprio pico.

Bob tem duas coisas a fazer, depois de passada a euforia das alturas. Uma é voltar para a agência, mas com outro *status*. Por um salário mais alto, apenas perambulará pelas salas para ser apontado a novatos e visitantes como o autor da frase, aquela.

"Você quer dizer... *A* frase?"

"*A* frase."

Outra é começar de novo em outro ramo. Com uma banca de chuchu na feira, por exemplo. Ele não precisa conquistar mais nada, é a único homem realizado do século.

Mas por enquanto Bob só olha para as paredes. De vez em quando, diz baixinho:

"O Chivas Regal dos uísques..."

E aí atira a cabeça para trás e dá uma gargalhada. Depois descruza e recruza as pernas e bebe mais um gole de champanhe.

AMIGOS

Os dois eram grandes amigos. Amigos de infância. Amigos de adolescência. Amigos de primeiras aventuras. Amigos de se verem todos os dias. Até mais ou menos os 25 anos. Aí, por uma destas coisas da vida – e como a vida tem coisas! – passaram muitos anos sem se ver. Até que um dia.

Um dia se cruzaram na rua. Um ia numa direção, o outro na outra. Os dois se olharam, caminharam mais alguns passos e se viraram ao mesmo tempo, como se fosse coreografado. Tinham-se reconhecido.

– Eu não acredito!

– Não pode ser!

Caíram um nos braços do outro. Foi um abraço demorado e emocionado. Deram-se tantos tapas nas costas quantos tinham sido os anos de separação.

– Deixa eu te ver!

– Estamos aí.

– Mas você está careca!

– Pois é.

– E aquele bom cabelo?

– Se foi...

– Aquela cabeleira.

– Muito Gumex...

– Fazia um sucesso.

– Pois é.

– Era cabeleira pra derrubar suburbana.

– Muitas sucumbiram...

– Puxa. Deixa eu ver atrás.

Ele se virou para mostrar a careca atrás. O outro exclamou:

– Completamente careca!

– E você?

– Espera aí. O cabelo está todo aqui. Um pouco grisalho, mas firme.

– E essa barriga?

– O que é que a gente vai fazer?

– Boa vida...

– Mais ou menos...

– Uma senhora barriga.

– Nem tanto.

– Aposto que futebol, com essa barriga...

– Nunca mais.

– E você era bom, hein? Um bolão.

– O que é isso.

– Agora tá com a bola na barriga.

– Você também.

– Barriga, eu?

– Quase do tamanho da minha.

– O que é isso?

– Respeitável.

– Quem te dera um corpo como o meu.

– Mas eu estou com todo o cabelo.

– Estou vendo umas entradas aí.

– O seu só teve saída.

Ele se dobra de rir com a própria piada. O outro muda de assunto.

– Fazem o quê? Vinte anos?

– Vinte e cinco. No mínimo.

– Você mudou um bocado.

– Você também.

– Você acha?

– Careca...

– De novo a careca? Mas é fixação.

– Desculpe, eu...

– Esquece a minha careca.

– Não sabia que você tinha complexo.

– Não tenho complexo. Mas não precisa ficar falando só na

careca, só na careca. Eu estou falando nessa barriga indecente? Nessas rugas?

– Que rugas?

– Ora, que rugas.

– Não. Que rugas?

– Meu Deus, sua cara está que é um cotovelo.

– Espera um pouquinho...

– E essa barriga? Você não se cuida não?

– Me cuido mais que você.

– Eu faço ginástica, meu caro. Corro todos os dias. Tenho uma saúde de cavalo.

– É. Só falta a crina.

– Pelo menos não tenho barriga de baiana.

– E isso o que é?

– Não me cutuca.

– Me diz. O que é? Enchimento?

– Não me cutuca!

– E esses óculos são pra quê? Vista cansada? Eu não uso óculos.

– É por isso que está vendo barriga onde não tem.

– Claro, claro. Vai ver você tem cabelo e eu é que não estou enxergando.

– Cabelo outra vez! Mas isso já é obsessão. Eu, se fosse você, procurava um médico.

– Vá você, que está precisando. Se bem que velhice não tem cura.

– Quem é que é velho?

– Ora, faça-me o favor...

– Velho é você.

– Você.

– Você.

– Você!

– Ruína humana.

– Ruína não.

– Ruína!

– Múmia!

– Ah, é? Ah, é?

– Cacareco! Ou será cacareca?

– Saia da minha frente!

Separaram-se, furiosos. Inimigos para o resto da vida.

EMOÇÃO

Débora. O nome já é um atestado de saúde, com suas vogais explosivas. Ela tem dezenove anos e faz sensação na praia com seu corpão que o biquíni só tapa aqui e alizinho. Os seios transbordam. Com cada uma das suas pernas daria para fazer outra mulher, e que mulher! Ela corre na praia diariamente, faz surf e musculação e contam que todos os dias, no almoço, come um homem, dos pequenos. E deu bola para o Pio.

O Pio, que recebeu este nome da mãe religiosa, mas o desmente desde os treze, mal pode acreditar. Os amigos o incentivaram: "Vai nessa". Mas com uma condição. Tinha que contar tudo. Mulher como aquela tinha que ser compartilhada, mesmo que fosse só contando. Por uma elementar questão de justiça social. Débora e Pio começaram a namorar. Na primeira noite foram passear de automóvel atrás dos cômoros. A praia tinha grandes cômoros, que os antigos chamavam "motéis que andam". No dia seguinte, enquanto a Débora fazia seu *jogging*, os amigos cercaram o Pio.

– Conta.

O Pio hesitou. Queriam ouvir mesmo?

– Conta.

– Fomos para trás dos cômoros.

Alguns começaram a salivar neste ponto. Outros aguardavam o desenrolar dos acontecimentos. Outros, ainda, pediram detalhes. Como é que ela estava vestida?

– Shorts.

– Ai!

– Chegamos atrás dos cômoros e começamos a conversar...

– Corta os créditos e o diálogo. Chega ao principal.

– Não houve.

– O quê?

– Na hora eu... eu...

– Conta!

– Comecei a chorar.

Abriu-se uma clareira de espanto. A chorar? O Pio ficara emocionado, era isso. Chorava convulsivamente. E Débora até teve que dirigir o carro, na volta. Os amigos se entreolharam. Depois olharam para a Débora, que acabara de passar na corrida. Era compreensível. O Pio era assim, sei lá. Emotivo. Mas ninguém ali podia dizer como reagiria com a Débora, um dia atrás dos cômoros. Ninguém.

O SUICIDA E O COMPUTADOR

Depois de fazer o laço da forca e colocar uma cadeira embaixo, o escritor sentou-se atrás da sua mesa de trabalho, ligou o computador e digitou:

"No fundo, no fundo, os escritores passam o tempo todo redigindo a sua nota de suicida. Os que se suicidam mesmo são os que a terminam mais cedo."

Levantou-se, subiu na cadeira sob a forca e colocou a forca no pescoço. Depois retirou a forca do pescoço, desceu da cadeira, voltou ao computador e apagou o segundo "no fundo". Ficava mais enxuto. Mais categórico. Releu a nota e achou que estava curta. Pensou um pouco, depois acrescentou:

"Há os que se suicidam antes para escapar da terrível agonia de encontrar um final para a nota. O suicídio substitui o final. O suicídio é o final."

Levantou-se, subiu na cadeira, colocou a forca no pescoço e ficou pensando. Lembrou-se de uma frase de Borges. Encaixa, pensou, retirando a corda do pescoço, descendo da cadeira e voltando ao computador. Digitou:

"Borges disse que o escritor publica seus livros para livrar-se deles, senão passaria o resto da vida reescrevendo-os. O suicídio substitui a publicação. O suicídio é a publicação. No caso, o livro livra-se do escritor."

Levantou-se, subiu na cadeira, mas desceu da cadeira antes de colocar a forca no pescoço. Lembrara-se de outra coisa. Voltou ao computador e, entre o penúltimo e o último parágrafo, inseriu:

"Há escritores que escrevem um grande livro, ou uma grande

nota de suicida, e depois nunca mais conseguem escrever outro. Atribuem a um bloqueio, ao medo do fracasso. Não é nada disso. É que escreveram a nota, mas esqueceram-se de se suicidar. Passam o resto da vida sabendo que faltou alguma coisa na sua obra e não sabendo o que é. Faltou o suicídio."

Levantou-se, ficou olhando a tela do computador, depois sentou-se de novo. Digitou:

"No fundo, no fundo, a agonia é saber quando se terminou. Há os que não sabem quando chegaram ao final da sua nota de suicida. Geralmente, são escritores de uma obra extensa. A crítica elogia sua prolixidade, a sua experimentação com formas diversas. Não sabe que ele não consegue é terminar a nota."

Desta vez não se levantou. Ficou olhando para a tela, pensando. Depois acrescentou:

"É claro que o computador agravou a agonia. Talvez uma nota de suicida definitiva só possa ser manuscrita ou datilografada à moda antiga, quando o medo de borrar o papel com correções e deixar uma impressão de desleixo para a posteridade leva o autor a ser preciso e sucinto. Tese: é impossível escrever uma nota de suicida num computador."

Era isso? Ele releu o que tinha escrito. Apagou o segundo "no fundo". Era isso. Por via das dúvidas, guardou o texto na memória do computador. No dia seguinte o revisaria. E foi dormir.

MAURO

Mauro era um homem bonito. Alto, atlético, moreno. Mas era bobo. Era extremamente bobo. Até sua mulher, Laurita, que há oito anos lia O *Pequeno Príncipe* e não conseguia terminar, se impacientava com ele.

– Francamente, Mauro.

– Cui é?

Uma das bobagens do Mauro era sempre pronunciar o "u" como se tivesse trema.

– Deixa de ser bobo.

– Não escuenta, não escuenta.

Os amigos tinham certeza que Laurita só agüentava Mauro porque ele era alto, atlético e moreno. E rico. Devido ao sobrenome importante Mauro estava no conselho de direção de três ou quatro grandes empresas, nas quais não fazia nada.

A princípio era convocado para reuniões semanais. Depois nem isto. As empresas até davam o dia da reunião errado, para evitar que Mauro aparecesse. Era bobo demais. Um dia, numa reunião em Brasília com os ministros da área econômica, Mauro fizera um estilingue com um clipe e um elástico e por pouco não acertara um míssil de papel no Delfim.

– Acuele alvo enorme na minha frente... Não agüentei.

– Francamente, Mauro!

O que Mauro gostava mesmo era de ir para a praia destruir castelo de areia de criança. Fingia que vinha caminhando, distraído, e pisava nos castelos. As crianças protestavam:

– Pô!

144

E Mauro, fingindo surpresa:
– Cue foi?

No carnaval, combinaram o encontro na casa de Mauro e Laurita. De lá sairiam para o baile. Os homens de sarongue as mulheres fantasiadas delas mesmo, de biquíni. Laurita anunciou que Mauro tinha uma surpresa para todos.

E suspirou, como se dissesse "Mais esta..." Os outros também suspiraram. Ter que agüentar o Mauro a noite inteira era um sacrifício que só faziam pela Laurita, a coitada. Ainda bem que no baile Mauro se entreteria tentando encher a boca de estranhos com confete e não os incomodaria.

A surpresa de Mauro é que ia fantasiado de pele-vermelha. Pulou no meio da sala com sua tanga e o corpo pintado, levantou a palma da mão e fez:
– Rau!
– O que é isso, Mauro?
– É saudação de índio americano. Rau!
Todos se entreolharam. Mas, que diabo, era carnaval.
– Rau, Mauro, rau. Agora vamos embora.
Mauro foi fazendo rau para todo o mundo até o clube.

Mauro insistia em dançar como índio no meio do salão. Não havia lugar. Ele atropelava os outros. Para quem protestasse, levantava a palma da mão e dizia rau. Como era grande e forte, impunha respeito. Mas crescia no salão uma surda revolta contra o pele-vermelha. Um dos amigos de Laurita, voltando do banheiro para a mesa sobre a qual as mulheres rebolavam todas juntas, captou no ar uma conspiração contra Mauro. Um grupo de quatro – dois havaianos, um legionário romano e um índio brasileiro – combinava uma ação conjunta para pegar o chato. Algo sobre atirá-lo ao mar. O melhor seria retirar Mauro do meio do salão. Laurita concordou. Os amigos, a custo, conseguiram puxar Mauro para a mesa.

– O cue é isso? O cue é isso? – disse Mauro, que continuava pulando enquanto era arrastado para longe do perigo – Por cue?
– Tem uma turma aí que está a fim de pegar você.
– Cue venham. Índio valente. Índio bate. Índio...
– Senta, Mauro.

145

Na volta para casa, três casais dentro do carro, exaustos, ninguém agüentava mais o Mauro, que continuava fazendo rau. No baile ele aprontara várias. Subira na mesa para rebolar com as mulheres e a mesa desabara. Roubara a gravata borboleta de um garçom para fingir de bigode. ("Índio português. Índio se chama Manuel...") E agora fazia rau para postes, para garis, para tudo. Até que passaram por um bar aberto e Mauro gritou: "Pára!" E abriu a porta do carro antes mesmo que o carro parasse. Dirigiu-se para o bar.

Era um boteco. Um balcão alto de fórmica e várias camadas de negrões na frente. Alguns na última cerveja da noite, outros na primeira do dia. Todos olharam para o pele-vermelha como se ele viesse confiscar a Brahma. Mauro parou sobre a calçada, levantou a palma da mão e gritou:

– Rau, proletas!

Do carro, alguém chamou:

– Vamos embora, Mauro!

Mauro não deu bola. Repetiu o gesto. Gritou:

– Rau!

De dentro do bar saiu um negrão com camiseta do Vasco, calção floreado e sandália de dedo. Tinha o mesmo tamanho do Mauro e era mais largo. Falou:

– Se disser rau de novo, vai ter.

– Mauro! – gritou Laurita.

– Vai ter o cue?

– Diz que você vai ver.

Mauro levantou a mão de novo. Do carro, Laurita gritou: "Mauro, nãol" Mauro repetiu:

– Rau!

E saiu correndo, com toda a população do bar atrás. Não chegou muito longe. Laurita tentou saltar do carro mas foi contida.

– Espera – disse um amigo.

– Mas vão massacrá-lo! Temos que ajudá-lo!

– São muitos.

– Então vamos chamar a polícia!

– Espera um pouquinho – disse outro amigo.

Laurita se recostou no banco.

– Está bem. Cinco minutos.

PÔQUER INTERMINÁVEL

Cinco jogadores em volta de uma mesa. Muita fumaça. Toca a campainha da porta. Um dos jogadores começa a se levantar.

Jogador 1 – Onde é que você vai? Ninguém sai.

Os outros – Ninguém sai. Ninguém sai.

Jogador 2 – Bateram na porta. Eu vou abrir.

Jogador 1 – A sua mulher não pode abrir?

Jogador 2 – A minha mulher saiu de casa. Levou os filhos e foi pra casa da mãe dela.

Jogador 1 – Sua mulher abandonou você só por causa de um joguinho de pôquer?

Jogador 2 – É que nós estamos jogando há duas semanas.

Jogador 1 – E daí?

Jogador 2 – Ela disse: "Ou os seus amigos saem, ou eu saio".

Jogador 1 – Ninguém sai.

Os outros – Ninguém sai. Ninguém sai.

(A campainha toca outra vez. O dono da casa vai abrir, sob o olhar de suspeita dos outros. É um garoto. O garoto se dirige ao Jogador 1.)

Garoto – A mãe mandou perguntar se o senhor vai voltar para casa.

Jogador 1 – Quem é a sua mãe?

Garoto – Ué. A minha mãe é a sua mulher.

Jogador 1 – Ah. Aquela. Diz que agora eu não posso sair.

Os outros – Ninguém sai. Ninguém sai.

Garoto – Eu trouxe uma merenda para o senhor.

Jogador 3 – Epa. O golpe do sanduíche. Mostra!

Jogador 5 – Vê se não tem uma seqüência dentro.

Jogador 1 – Não tem nada. Só mortadela.

Garoto – A mamãe também mandou pedir dinheiro.

(Todos os jogadores cobrem as suas fichas.)

Todos – Ninguém dá. Ninguém dá.

Jogador 1 – Diz pra sua mãe que eu estou com um *four* de ases na mão. Como ninguém vai ser louco de querer ver, esta mesa é minha e nós estamos ricos.

Jogador 4 – Se você tem *four* de ases então tem sete ases no baralho, porque eu tenho trinca.

Jogador 1 – *Diz* pra sua mãe que o cachorrão falhou.

(Toca o telefone. O dono da casa se levanta para atender.)

Jogador 3 – Mas o quê? Não se joga mais? Ninguém sai.

Os outros – Ninguém sai. Ninguém sai.

(Apesar dos protestos, o dono da casa vai atender o telefone. Volta.)

Jogador 2 – Era a mulher do Ramiro dizendo que o nenê já vai nascer.

Jogador 4 – Meu filho vai nascer. Tenho que ir lá.

Jogador 1 – Ninguém sai.

Os outros – Ninguém sai. Ninguém sai.

Jogador 4 – Mas é o meu filho.

Jogador 3 – Você vai pro batizado. Quem é que joga?

Cinco jogadores em volta de uma mesa de pôquer. A fumaça é de três semanas. Batem na porta.

Jogador 1 – Vai abrir a porta, ó mulher!

Jogador 2 – Espera aí. Voce está gritando com a minha mulher. Quer sair no braço?

Todos – Ninguém sai. Ninguém sai.

Jogador 2 – Com a minha mulher, grito eu. Vai abrir a porta, ó mulher!

(Quem chega é uma senhora que se dirige a um dos jogadores.)

Senhora – Vitinho...

Jogador 3 – Mamãe...

Senhora – Há três semanas que você não sai dessa mesa, Vitinho!

Jogador 1 – Ninguém sai.

Os outros – Ninguém sai. Ninguém sai.

Senhora – Eu trouxe uma camisa pra você trocar...

Jogador 4 – Epa. Examina a camisa. O golpe da mãe é conhecido. Já vi mãe trazer camisa com seqüencia fechada.

(Vitinho veste a camisa depois de mostrar que não tem nada escondido. O jogador 5 se levanta.)

Jogador 1 – Ninguém sai!

Os outros – Ninguém sai. Ninguém sai.

Jogador 5 – Mas eu vou ao banheiro.

Jogador 1 – Outra vez?

Jogador 5 – A última vez que eu fui faz dois dias!

Jogador 1 – Pois então. Ninguém sai.

Os outros – Ninguém sai. Ninguém sai.

Senhora – Vitinho, eu também trouxe um bolo.

Jogador 1 – Epa.

Os outros – Epa. Epa.

Jogador 2 – Já vi muito bolo de mãe com recheio de três valetes.

(Abrem o bolo para examinar.)

Senhora – Quando é que você vai sair desse jogo, Vítor?

Jogador 1 – Ninguém sai. Só sai a mãe.

Os outros – Ninguém sai. Ninguém sai.

Jogador 2 – Vamos jogar. De quanto é o bolo?

Jogador 4 – Não dá pra ver. Tem pedaço de bolo em cima.

Jogador 1 – Agora essa. Tem bolo no bolo. Vocês estão me saindo...

Os outros – Ninguém sai. Ninguém sai.

Cinco homens em volta de uma mesa de pôquer. Não se enxerga quase nada através da fumaça de um mês.

Jogador 1 – Espera um pouquinho. Cadê meu sanduíche?

Jogador 2 – Você não tinha jogado o sanduíche?

Jogador 1 – E sanduíche é ficha?

Jogador 2 – Estava no meio da mesa e eu peguei.

Jogador3 – Esperem. Quem ganhou a última mesa fui eu. O sanduíche é meu.

Jogador 4 – Desse jeito nós vamos ficar aqui a vida inteira.

Jogador 3 – A vida inteira eu não posso.

Jogador 2 – Só por que você está ganhando?

Jogador 3 – Em 82 vai ter a Copa do Mundo na televisão e eu vou ver.

Jogador 1 – Ninguém vai.

Os outros – Ninguém vai. Ninguém vai.

(Toca o telefone. O Jogador 3 vai atender. Volta.)

Jogador 2 – Quem era?

Jogador 3 – Minha mulher. Nossa casa está prendendo fogo.

Jogador 1 – Ninguém sai.

Os outros – Ninguém sai. Ninguém sai.

(Entra uma mulher na sala. Dirige-se a um dos jogadores.)

Mulher – Preciso de dinheiro.

Todos (Tapando as fichas) – Ninguém dá. Ninguém dá.

Jogador 1 – Quem é que deixou essa mulher entrar?

Mulher – Como, quem é que deixou entrar? Eu moro aqui. A casa é minha. Se alguém tem que sair, são vocês.

Jogador 1 – Ninguém sai.

Os outros – Ninguém sai. Ninguém sai.

Jogador 3 – O que é isso?

Jogador 2 – É a porta. Eu vou abrir.

Jogador 1 – Epa.

Os outros – Epa. Epa.

Jogador 1 – Eu conheço o golpe da porta. Vai abrir com um par de nove e volta com um *four* de damas. Deixa as cartas.

(O Jogador 2 vai abrir a porta. Volta cercado por três homens.)

Jogador 2 – É a polícia.

Jogador 1 – Bota o seis no baralho que vão entrar mais três.

Jogador 3 – Não é melhor sair alguém?

Jogador 1 – Ninguém sai.

Os outros – Ninguém sai. Ninguém sai.

SUSPIROS

Um homem foi procurar uma vidente. Ela leu a sua mão, em silêncio. Depois espalhou as cartas na sua frente e as examinou longamente. Finalmente olhou a bola de cristal. E concluiu:

– Você vai morrer num lugar com água.

– Uma banheira?

– Não. Um lugar maior.

– Uma piscina...

– Vejo uma cidade. Água por todos os lados. Em vez de ruas, tem água...

– Veneza!

– Isso.

– Eu vou morrer em Veneza?

– Vai.

– Como?

– Hmmm. Vejo barcos... Gôndolas... Espere! Uma mulher.

– Quem é ela?

– Você não a conhece. Ela aparecerá em sua vida em Veneza. Gondolas, sim, gôndolas. Alguma coisa refletida nas águas escuras do Grande Canal. É a lua. Uma lua cheia. O gondoleiro canta uma música antiga. Estranho...

– O quê?

– A mulher. Tem uma máscara vermelha. Veste uma capa preta, e uma máscara vermelha tapa o seu rosto.

– Ela não tira a máscara?

– Calma. Tira.

– E então?

151

– Ela é linda. Seus olhos são roxos. Ela diz uma palavra... Não consigo decifrar...

– Tente.

– É... Aldabar. Isso. Aldabar.

– Aldabar...

– Ela dirá essa palavra três vezes antes do raiar do dia. A primeira no Grande Canal. A segunda sob a Ponte dos Suspiros...

– Continue.

– Vocês chegam a um portão. O luar banha tudo. Há um cheiro de jasmim no ar. Vocês entram num castelo. Vejo mármore. Cristais. Um vulto...

– Quem é?

– Não deu para ver. Vocês sobem uma escadaria.

– Para o quarto?

– É.

– Espere um pouquinho. A palavra...

– Aldabar...

– Aldabar. Ela dirá três vezes?

– É.

– Mas até agora só disse duas.

– Exato.

– Continue.

– Vocês entram num quarto. Há uma cama enorme, banhada de luar. A mulher desaparece sem fazer ruído.

– Onde é que ela foi?

– Estou tentando ver... Está escuro.

– Mas e a lua?

– Desapareceu. Deve ser uma nuvem. Ah, ela voltou.

– A lua?

– E a mulher. Ela é branca. Está nua.

– Sim?

– Ela chama você para a cama. Você a possui. Escureceu outra vez.

– Outra nuvem.

– Agora vejo... Um jardim. Sim, um jardim. Vejo jasmineiros. Vocês estão num jardim. Começa a amanhecer. Vejo um pavão e um chafariz.

– E a mulher?

– Ela está falando. Diz uma palavra. Aldabar...

– Aldabar. A terceira vez...
– É o sinal. Você vai morrer.
– Como?
– Não sei... É confuso.
– Insista.
– Cuidado com corcundas e licores verdes...

O homem, é claro, jamais chegou perto de Veneza depois disto. Continua vivo. Mas de vez em quando suspira e diz:
– O que eu não devo estar perdendo...

PEÇAS ÍNTIMAS

Peça n° 1. Um quarto de dormir. Roupas masculinas e femininas jogadas no chão formam uma trilha da porta até a cama, onde um lençol branco cobre um volume imóvel que pode ser um corpo, ou dois. Abre-se a porta e entra uma mulher. Lentamente, na ponta dos pés, ela segue a trilha da porta até a cama como se seguisse os rastros de um animal. Hesita um pouco, depois arranca o lençol. O volume em cima da cama é um monte de roupas masculinas e femininas. Apaga a luz.

Peça n° 2. Uma sala-de-estar. Numa poltrona, um homem lendo um jornal. O jornal tapa o seu rosto. Na outra poltrona, uma mulher de pernas cruzadas olhando para o homem e sacudindo uma perna com fúria.
MULHER: Sabe quem vai morrer, hoje?
HOMEM: Hummm?
MULHER: Você!
HOMEM: Hummm.
SILÊNCIO. DEPOIS DE UM MINUTO...
HOMEM: Eu conheço?
MULHER: Quem?
HOMEM (BAIXANDO O JORNAL): Ora, quem. Quem você disse?
MULHER: O quê?
HOMEM: Que morreu, hoje.
MULHER: Vai morrer, Jorge Alberto. Você nunca ouve nada que eu digo. *Vai* morrer.

HOMEM (DE NOVO ATRÁS DO JORNAL): Quem?
MULHER: Você! Você! Você!
SILÊNCIO, DEPOIS...
HOMEM: Eu conheço?
Apaga a luz.

Peça nº 3. Abre o pano. O cenário é a sala-de-estar de uma mansão inglesa. Ao lado de uma poltrona, no centro do palco, uma mesinha com um telefone em cima. O telefone toca. E toca. E toca. E toca. Nada acontece. O telefone continua tocando. Vai-se criando um mal-estar na platéia. As pessoas se entreolham. Passa o tempo. O telefone continua tocando. Finalmente alguém da platéia não se contém e sobe no palco. É um homem. Ele aproxima-se do telefone, hesitantemente. Tira o fone do gancho e leva ao ouvido.
HOMEM: Alô? É... não sei o número. É do teatro. Não, não, eu nao sou da... Na verdade, eu sou da platéia. Da platéia! É que o telefone estava tocando e ninguém... Como? O nome da peça? É... (ELE APELA COM UM GESTO DE CABEÇA A UMA MULHER NA PLATÉIA QUE ASSOPRA O TÍTULO.) É "A armadilha" ... Não, eu não sei como é a peça. Ela ainda não começou. Hein?... Já lhe disse, eu não sou do elenco. É que eu não agüento ouvir um telefone tocando e... Não, meu amigo. Olha aqui, por que você não telefona um pouco mais tarde, quando já estiver alguém em cena?... Eu não sei quem vai estar em cena! No programa diz que são dois personagens, lorde não sei das quantas e... Olha, só sei que a peça começa com um telefone tocando (O PANO COMEÇA A FECHAR). Vou ter que desligar, estão fechando o... Não posso, meu amigo. Não, não, eu tenho que ir, eu tenho que ir!
O pano se fecha. O espectador não reaparece. Depois de alguns instantes o pano reabre. A sala-de-estar está vazia. O telefone começa a tocar. E a tocar. E a tocar. A mulher que assoprou o título da peça para o homem sobe ao palco e, com passos decididos, dirige-se para o telefone. Arranca o fone do gancho e leva ao ouvido.
MULHER: Olha aqui, eu não sei que brincadei...
Pára de falar porque uma porta atrás dela foi aberta e por ela entrou o espectador da cena anterior, vestindo um *robe de chambre* de seda e carregando um pássaro empalhado.
HOMEM: É para mim, Millicent?

MULHER (ATÔNITA): Matico, sou eu!

HOMEM: "Matico"? Por Deus, Millicent. A esta hora da manhã? Será que vou ser forçado a esconder o *brandy* de novo?

Os Quarenta

Um dia você recebe pelo correio a comunicação de que foi escolhido como um dos Quarenta. Só isso. Você é um dos Quarenta. Não há outras informações. Quarenta o quê? A comunicação não diz.

Você não liga. Deve ser propaganda. Depois certamente chegará um prospecto com ofertas para você, que é um homem de gosto apurado, um homem que, afinal, pertence ao exclusivo grupo dos Quarenta, etc. Talvez seja uma coleção de livros ou uma linha de artigos de toalete, a preços especiais para quarenta privilegiados como você.

Mas não. Durante muito tempo você não recebe mais nada. Até esquece o assunto. E um dia recebe pelo correio um cartão bem impresso, em relevo, com seu nome seguido da frase "Um dos Quarenta" e num canto o número 26.

Como o primeiro envelope, este não tem nem o nome nem o endereço do remetente. Aí você se dá conta de que também não há carimbo do correio. O envelope foi entregue diretamente na sua porta.

Você fica intrigado. Pergunta a amigos se eles sabem alguma coisa sobre os Quarenta.

– Quarenta o quê?

Você não sabe. Só sabe que é um deles. Ninguém jamais ouviu falar nos Quarenta. Ninguém das suas relações recebeu nada parecido. Você começa a fazer fantasias. Pertence a uma elite, mesmo que não saiba qual. As quarenta pessoas mais... o quê? Não importa. Você é um dos quarenta mais alguma coisa do Brasil. Ou será do mundo? Há algo que o distingue do resto da humanidade. Por que, você não sabe. Quem o escolheu? Também não sabe. Mas não deixa de ser uma sensação boa se sentir um dos Quarenta. Nem todo mundo pode ser um dos Quarenta. Só quarenta.

Você começa a usar seu cartão dos Quarenta na carteira. Quem sabe? Um dia ele pode servir para alguma coisa.

– Você sabe com quem está falando? Sou um dos Quarenta.

Passam-se meses e chega outra comunicação. Haverá uma reunião dos Quarenta! Você deve aguardar informações sobre local, data, transporte, acomodações...

Sua curiosidade aumenta. Você finalmente vai conhecer a misteriosa irmandade à qual pertence. Quem serão os outros 39?

Mas as informações não chegam. Chega, um dia, um telegrama. Também sem nome ou endereço do remetente. O telegrama diz:

"NÃO VAH REUNIÃO QUARENTA PT EH ARMADILHA".

É brincadeira. Agora você sabe que é brincadeira. Mas que brincadeira boba e cara, com telegramas, cartões em relevo...

No dia seguinte, toca o telefone. É noite, você está sozinho em casa, e toca o telefone. Você atende.

É uma voz engasgada. A voz de um homem agonizante.

– Fuja... – diz a voz, com muito esforço.

– O quê?

– Fuja! Eles estão nos eliminando, um a um...

– Que-quem são eles?

– Não interessa. Fuja enquanto é tempo!

– Mas eu...

– Não perca tempo! Eles me pegaram. Estou liquidado.

– Quem é você?

– O número 25...

Há um silêncio. Depois você ouve pelo fone o ruído borbulhante que faz o sangue quando sobe pela garganta de alguém. Você precisa saber uma coisa. Você grita:

– Quem somos nós?

Mas agora o silêncio do outro lado é completo.

E então você vê que estão tentando forçar a sua porta.

GAÚCHOS E CARIOCAS

É preciso dizer que estávamos naquela brumosa terra de ninguém, que fica depois do décimo ou décimo-quinto chope. Tão brumosa que não dá mais para distinguir entre o décimo e o décimo-quinto. Tínhamos sido apresentados no começo da noite mas já éramos amigos de infância. Em poucas horas nossa amizade passara por vários estágios, desde o "leste *Memórias de Adriano*?" até as piores confidências, e agora nos comportávamos como confrades, como se nossa amizade fosse mais antiga que nós mesmos. Isto é, estávamos brigando.

– Vocês gaúchos...

– O que é que tem gaúcho?

– Pra mim gaúcho é tudo veado.

– Não radicaliza.

– Se tem que dizer que é macho, é porque não é.

– Lá no sul se diz que numa briga de gaúcho, paulista, mineiro e carioca, o gaúcho bate, o paulista apanha e o mineiro tenta apartar.

– E o carioca?

– Fugiu.

– Viu só? Pensam que são mais machos que os outros. Diz que as bichas de Paris protestaram porque as bichas cariocas estavam invadindo o seu mercado: "Voltem para o Rio. Go Home!" Aí as bichas cariocas reagiram: "Ah, é? Então tirem as gaúchas de lá."

– Está aí, fugiram. Mas isso tudo é mágoa porque são os gaúchos que mandam neste país. Vocês estão assim desde que nós amarramos os cavalos ali no obelisco.

159

– Aliás, essa fixação no obelisco..

– Gaúcho é o único brasileiro sério.

– Sem graça não é sério.

– Só o gaúcho fala português. Essa língua de vocês não existe. Paulista põe "i" onde não tem. Vocês falam chiando. Onde tem um "r" botam dois e onde tem dois botam quatro.

– Vocês falam espanhol errado e pensam que é português!

– Mas o que a gente diz é pra valer. Não é como carioca que diz uma coisa e quer dizer outra.

– Ah, é?

– É. Quando carioca encontra alguém, diz: "Meu querido!", quer dizer que não se lembra do nome. "Precisamos nos ver" quer dizer "está combinado, eu não procuro você e você não me procura".

– O que vocês não agüentam é que nós, cariocas, somos informais, bem-humorados...

– Isso é mito. Entra num "Grajaú-Leblon" lotado na Nossa Senhora de Copacabana, às três da tarde, no verão, que eu quero ver o bom humor.

– Não radicaliza.

– Os mitos cariocas. O Zico, por exemplo...

– Eu sabia. Eu sabia que ia chegar no Zico!

– O Zico é uma entidade abstrata criada pelo inconsciente coletivo do Maracanã.

– O Campeão do Mundo. Campeão do Mundo!

– Porque não entrou nenhum inglês no calcanhar dele. Se encosta um, o Zico cai.

– É. O bom é o Batista.

– Não troco um Batista por dois Zico.

– Ai meu Deus. Ai meu Deus!

– Outra coisa: mulher.

– Claro. Mulher. A mulher carioca não vale nada.

– Vale. Mas é sempre da mesma cor. Mulher tem que ir mudando de cor com as estações. Quando chega o verão as gaúchas vão tostando aos poucos, como carne num braseiro de chão, até estar no ponto. Só ficam prontas mesmo em fevereiro. A carioca está sempre bem passada. É como comer churrasco em bandeja.

– É. A medida de todas as coisas, para o gaúcho, é o churrasco. A comida mais sem imaginação que existe.

– Vai dizer que comida é isto que vocês comem aqui?

– Mas bá.

Eu estava levando o chope à boca e parei.

– O que foi que você disse?

– Eu? Nada.

– Você disse "mas bá".

– Não disse.

– Disse. Eu ouvi nitidamente um "mas bá".

– Está bem. Eu disse.

– De onde você é?

– Dom Pedrito.

Estava no Rio há menos de dois anos e chiava como uma lo-comotiva no cio. Mas não me senti triunfante. Me senti derrotado. Eu estranhara ele não ter dito: "Se você gosta tão pouco do Rio, o que é que está fazendo aqui?" Eu não poderia responder a não ser com a verdade, que era fascinado pelo Rio. Uma característica de gaúcho é que gaúcho é fascinado pelo Rio. E ali estava ele como prova que depois do fascínio vinha a rendição, a vitória carioca. Acabou a discussão. Nos despedimos e saímos, cada um cambale-ando para um lado. Na saída ele ainda disse:

– Precisamos nos ver...

As Festas

Aproxima-se a perigosa época das festas. O Natal e o Ano-Novo, como se sabe, despertam os melhores sentimentos das pessoas, e isto pode ter conseqüências terríveis. São conhecidos os casos de paixão, alguns até terminando em morte, que começaram em festas de fim de ano, na firma, quando o espírito de conciliação e congraçamento leva as pessoas a baixarem a guarda e aceitarem o que normalmente nao aceitariam e a fazerem o que, no resto do ano, nem pensariam, ainda mais depois de beberem um pouco. Nada mais embaraçoso do que, no segundo dia do ano novo, ter de tentar desfazer algum equívoco do fim do ano anterior.

– Dona Teresa, eu...

– Pintinho!

– Pinto. Meu nome é Pinto.

– Humm. Como nós estamos mudados, hein? Na festa...

– Era justamente sobre isso que eu queria lhe falar dona Teresa. Na festa. Algumas coisas foram ditas...

– Só ditas não, não é, Pintinho?

– Pinto. Pois é. Ditas e feitas, que...

– Já sei. Vamos fingir que nada aconteceu.

– Eu preferiria.

– Muito bem. Só não sei o que vou dizer ao papai.

– O que que tem o seu pai?

– Ele está vindo de Cachoeiro para o casamento.

Outra coisa perigosa é a pessoa se entusiasmar no fim do ano e decidir mudar. Ser outra pessoa. Deixar velhos vícios e adotar novas atitudes, ou recuperar algumas antigas. Janeiro, ou pelo

162

menos a sua primeira quinzena, é uma espécie de segunda-feira do ano. As ruas ficam cheias de novos virtuosos, pessoas resolvidas a serem melhores do que no ano passado.

– Olhe.

– O que é isso?

– Aquele livro que você me emprestou.

– Eu não me lembro de...

– Faz muito tempo. E, na verdade, você não emprestou. Eu peguei. Eu costumava fazer isso. Nunca mais vou fazer.

– Você pode ficar com o livro. Eu...

– Não! Ajude a me regenerar. Quem fazia essas coisas não era eu. Era outra pessoa. Um crápula. Decidi mudar. Este sou o eu 89. Comecei devolvendo todos os livros que peguei dos amigos. Acabou com a minha biblioteca, mas que diabo. Me sinto bem fazendo isto. Outra coisa. Precisamos nos ver mais. Eu abandonei os amigos. Abandonei os amigos! Olhe, vou à sua casa este sábado.

– Não. Ahn...

– Prometo não roubar nada.

– Não é isso. É que...

– Já sei. Vamos combinar um jantarzinho lá em casa. A Santa e eu estamos ótimos. Fiz um juramento, na noite de ano bom. Que me regeneraria. E ela me aceitou de volta. Há dois dias que não olho para outra mulher. Dois dias inteiros! Isso era coisa do outro.

– Sim.

– Do crápula.

– Sei...

– Eu era horrível, não era? Diz a verdade. Pode dizer. Uma das coisas que eu resolvi é não bater mais em ninguém. Era ou não era?

– O que é isso?

– Como é que eu podia ser tão horrível, meu Deus?

– Calma. Você está transtornado. Vamos tomar um chopinho.

– Não! Não posso. Jurei que não botaria mais uma gota de álcool na boca.

– Mas um chopinho...

– Está bem. Um. Em honra da nossa amizade recuperada. E escuta...

– O quê?

– Deixa eu ficar com o livro mais uns dias. Ainda não tive tempo de...

– Claro. Toma.

– E vamos ao chope. Lá no alemão, onde tem mais mulher.

MERGULHO

Anotações para uma história fantástica.

Um homem encontra, de repente, na rua, um amigo que não via há vinte anos. Daniel! Mas como?! Há quanto tempo! Puxa! Etc.

– Você tem visto a velha turma?

– O quê? Vejo todos os dias. Estou indo para o bar agora mesmo.

– Como, "o bar" ?

– O bar, ora.

– Você quer dizer... o nosso bar?

– Claro. O mesmo bar de sempre – diz Daniel.

– Mas ele continua lá?

– Continua no mesmo lugar.

O Daniel propõe:

– Por que você não vem comigo? Pra rever a turma.

O homem vai. E no velho bar, que ele pensava que nem existisse mais e que continua igual ao que era antes, encontra outras pessoas que não via há vinte anos. É incrível! Está toda a turma lá. Como se o tempo não tivesse passado.

O Magrão. O Pato. O Mineiro. A Verinha.

E a Glória.

– Glória! Você não mudou nada!

– O que é isso?

– Não. Está linda como sempre.

Ele senta à mesa com a turma – a mesma mesa de sempre – e a conversa vai longe. Relembram os velhos tempos. Os outros

165

brincam com ele e com a Glória.

– Vocês dois, hein?

– Todo mundo pensava que vocês iam se casar.

Todos riem. Quando fica sério, o homem pergunta:

– Você casou, Glória?

– Não.

– Viu só? – diz o Magro. – Ficou te esperando.

Mais risadas. Como eu gostava desta turma, pensava ele. Por que foi que nos separamos? E como eu gostava da Glória! Por que foi mesmo que não deu certo?

Ao se despedirem, tarde da noite, ele combina com o Daniel um encontro para o dia seguinte. Irão juntos para o bar. Não há por que não retomar o hábito antigo. Todos os fins de tarde, reunião com a turma no bar.

Naquela noite, em casa, ele conta para a mulher do encontro com os velhos amigos. O Daniel. O Magrão. O Pato. O Mineiro. A Verinha. Só não conta da Glória. Mais tarde, na cama, sem conseguir dormir, fica pensando, e sonhando. Parece mentira! Era como se, ao encontrar o Daniel, ele tivesse dado um mergulho no passado. Como se...

E então se lembra.

O Daniel já morreu.

Claro que já morreu. Há uns quinze anos. Ele foi ao enterro. Abraçou a viúva, tudo. Não há nenhuma dúvida. O Daniel já morreu.

O homem fica sem dormir, pensando no que fazer. No dia seguinte, antes de ir ao encontro, passa pelo bar. Que não é mais bar. Agora é um videoshop. Ele pergunta que fim levou o bar. É informado de que há dez anos não existe mais naquele local.

Mas o homem vai ao encontro com Daniel, que está no lugar marcado, sorridente. O homem, com o coração disparando, começa a perguntar:

– Daniel, me esclarece uma dúvida...

Mas pára, não sabendo como continuar. Perguntar o quê? Você não morreu, não? Não leve a mal, mas você não é um fantasma? Eu estou louco? Isto tudo é uma alucinação?

– Sim? – diz o Daniel, esperando a pergunta.

– Nada, nada – diz o homem. – Vamos pro bar.

No bar está toda a turma. Inclusive a Glória. Que pergunta:

– E você, casou ou não?

– Faz alguma diferença?

– Não.

Ele se diverte muito com a velha turma. Na saída, antes de combinarem outro encontro para o dia seguinte, o Daniel quer saber:

– O que você ia me perguntar quando nos encontramos hoje?

– Eu? Sabe que nem me lembro mais?

Certas coisas, pensa o homem, indo para casa quase dançando, com o coração leve, é melhor não investigar demais.

TU E EU

Somos diferentes, tu e eu.
Tens forma e graça
e a sabedoria de só crescer
até dar pé.
Eu não sei onde quero chegar
e só sirvo para uma coisa
– que não sei qual é!
És de outra pipa
e eu de um cripto.
Tu, lipa.
Eu, calipto.

Gostas de um som tempestade
roque lenha
muito heavy.
Prefiro o barroco italiano
e dos alemães
o mais leve.
És vidrada no Lobão
eu sou mais albinônico.
Tu, fão.
Eu, fônico.

És suculenta
e selvagem
como uma fruta do trópico.

Eu já sequei
e me resignei
como um socialista utópico.
Tu não tens nada de mim
eu não tenho nada teu.
Tu, piniquim.
Eu, ropeu.

Gostas daquelas festas
que começam mal e terminam pior.
Gosto de graves rituais
em que sou penitente
e, ao mesmo tempo, o prior.
Tu és um corpo e eu um vulto,
és uma miss, eu um místico.
Tu, multo.
Eu, carístico.

És colorida,
um pouco aérea,
e só pensas em ti.
Sou meio cinzento,
algo rasteiro,
e só penso em Pi.
Somos cada um de um pano
uma sã e o outro insano.
Tu, cano.
Eu, clidiano.

Dizes na cara
o que te vem à cabeça
com coragem e ânimo.
Hesito entre duas palavras,
escolho uma terceira
e no fim digo o sinônimo.
Tu não temes o engano
enquanto eu cismo.
Tu, tano.
Eu, femismo.

FRASES

Senti que alguma coisa estava errada comigo quando disse, a respeito de não me lembro quem, que ele tinha uma paciência de Lot e houve um silêncio no grupo. As pessoas se entreolharam e vi que algumas se esforçavam para não rir.

– Eu disse alguma coisa errada? – perguntei.

Nova troca de olhares. Finalmente, alguém falou:

– Não é paciência de Lot. É paciência de Jó.

Fiquei confuso. Era a primeira vez que me acontecia aquilo. Sempre tivera certeza no que dizia e confiança na minha cultura. Depois de alguns segundos de constrangimento, recuperei minha empáfia proverbial.

– A paciência é de Lot. Jó é outra coisa.

– Lot é o da mulher que virou uma estátua de sal. Jó é o da paciência.

Seria possível? Mas não entreguei os pontos.

– É o contrário.

– Não é.

– É.

Fui tão incisivo que consegui convencer algumas pessoas do grupo. Elas ficaram em dúvida, como *MacBeth*. Era ou não era? Começou uma discussão. Pedi silêncio e me dirigi à única pessoa do grupo que até ali não se manifestara. Ela daria o voto de Mecenas.

– Afinal – disse eu, sorrindo, certo da vitória – sei que você será justo como Moisés.

– Salomão.

– Hein?

– Você quer dizer "justo como Salomão".

Estremeci. Perdi todo o apoio que conseguira no grupo. Alguém ainda tentou me ajudar:

– O Moisés também era justo...

Mas a questão não era essa. A questão é que havia um jeito certo de dizer as coisas e um jeito errado. Milhares de anos de civilizacão tinham nos legado exemplos e frases para todas as situações. Esquecê-las seria trair a nossa herança. A cultura helênica, a romana, nossas tradições judaico-cristãs, os clássicos, o próprio dom da comunicação entre os povos. Voltaríamos à torre da Babilônia. Fui para casa sentindo-me derrotado como Napoleão depois de Watergate. Não seria preciso muito para me convencer a tomar cicuta, como Aristóteles.

O que estaria acontecendo comigo? Nunca falhara antes. E de repente, aquela crise. A notícia se espalharia. Minhas frases erradas me tornariam vulnerável. Seriam meu calcanhar de Ulisses. Minha fama de erudito estava ameaçada. Ninguém mais diria, com admiração, "o doutor é um homem cultíssimo". Diriam "o doutor está ficando gagá". Como se, em vez de um homem de meia-idade, eu já fosse velho como... Como quem, mesmo? Como Mateus.

Naquela noite, repassei todas as frases que tinham feito a minha reputação.

Presente de sírio.

Vitória de Priapo.

Beijo de Juno.

Sorriso enigmático como o da Maja Desnuda, de Velasques.

Ou seria presente de Pirro, vitória de Judas e beijo de grego?

No meio da noite, acordei, apavorado, O calcanhar não era de Ulisses. Como podia ter errado assim? De quem era, afinal, o maldito calcanhar? Só depois de meia hora de angústia consegui me lembrar. Átila. Calcanhar de Átila. Dormi aliviado.

Decidi que não devia me desesperar. Teria paciência, como... Bem, teria paciência. Descansaria. Retomaria as minhas leituras. Aos poucos, recuperaria minha erudição e a certeza das minhas frases. Afinal, Esparta não fora feita num dia. Em pouco tempo, tudo seria como antes do quartel de... de... Meu Deus, era insuportável!

Fui consultar um médico. Contei tudo o que estava acontecendo. Ele fez ouvido de marceneiro às minhas queixas. Embora fosse, como a mulher de Nero, acima de qualquer suspeita.

– Você está perfeitamente bem.

– É esclerose precoce, eu sei.

– Imaginação sua.

– Sonho de uma tarde de outono – disse eu, amargamente.

– Ou de uma noite de verão.

– Por que você disse isso? – perguntei, desconfiado.

– O quê?

– Noite de verão em vez de tarde de outono?

– Por nada. Tanto faz.

– Tanto faz, não. Qual é o certo?

– Não existe certo ou errado. Cada um diz como quer...

– Você não sabe o que está dizendo! Há só uma maneira de dizer as coisas. A maneira certa. Obrigatória!

– Escute...

– Você não vai me receitar nada?

– Nada.

– Estou com uma saúde de... de...

– De ferro.

– Quer dizer que você lava as mãos?

– Como Pilatos.

– Como Herodes.

– Pilatos.

– HERODES!

Ele me receitou um calmante.

Não saio mais de casa. Não me comunico com ninguém. Não abro mais a boca com medo de me trair e trair a minha formação. O silêncio é de prata.

Um, dois, três

Eu queria um dia fazer uma crônica como uma valsa antiga. Que rodopiasse pela página como, digamos, um velho comendador de fraque e a sua jovem amiga. Cheia de rimas como quimera e primavera. Com passos e compassos, ah quem me dera. Talco nos decotes, virgens suspirosas e uma sugestão de intriga.

Os parágrafos seriam versos e figurações. No meio um lustre, na tuba um gordo e em cada peito mil palpitações. Os namorados trocariam olhares. As tias e os envergonhados nos seus lugares. E de repente uma frase perderia o fio, soltando sílabas por todos os salões.

A segunda parte me daria um nó.

Os pares param, o maestro espera e ninguém tem dó.

Dou ré, vou lá, ja não caibo em mi.

E então decreto – vá fá – é cada um por si!

Um, dois, três.

Um, dois, três.

A minha orquestra seria toda de professores. Um de desenho, três de latim, cinco de português e todos amadores. O baterista cheiraria coca. O contrabaixista não parece o Loca? E o gordo da tuba um duque da Bavária nos seus últimos estertores.

Um cadete rouba o amor da filha de um magnata. Pescoço de alabastro, boca de rubi e os olhos de uma gata. O namorado, despeitado, urde sua vingança. É quase meia-noite e segue a contradança. O pai da moça dorme nos seus sete queixos e sonha com uma negociata.

No avarandado branco, onde vão ver a Lua

173

A moça e o cadete, que a imagina nua
Beijam-se perdidamente a três por quatro.

E o segundo traído sou eu, que não encontro rima para "quatro".

Um, dois, três.

Um, dois, três.

Um violinista, de improviso, olha o relógio e perde um be-mol. Faltam poucas linhas para acabar meu espaço e surgir o sol. Lá fora, o par apaixonado. De tanto amor nem olha para o lado. Não vê o despeitado que se aproxima, quieto e encurvado como um caracol.

Eu mesmo me concedi esta valsa e, portanto, tenho a decisão. Que arma usará o traído na sua vil ação? Uma adaga, fina e relu-zente? Combina mais com o requintado ambiente. Mas se errar o passo e o alvo o vilão e, abrindo um filão, conspurcar o alvo chão?

Um tiro na nuca é mais ligeiro
Mais prático, moderno e certeiro.

Mas, meu Deus, o que é que eu estou fazendo?

Comecei com uma singela valsa e já tem gente morrendo!

Um, dois, três.

Um, dois, três.

Eu só queria fazer uma crônica como uma valsa antiga. Que rodopiasse pela página como um comendador cansado e sua com-preensiva amiga. Cheia de rimas sem compromisso aparente. Nem com ouro, nem com prata, nem com a crise do Ocidente. Decotes bocejando. Virgens sonolentas e nem uma sugestão de briga.

Um, dois, três.

Etc.

DUAS HISTÓRIAS SUTIS

– **B**eleza, a sua cozinha.

– Obrigado, eu...

– É você quem cozinha sempre ou...

– Não, Não. Tem uma senhora que vem arrumar o apartamento e deixa um prato feito na geladeira. Sou cozinheiro de fim de semana. Marinheiro de... Como é mesmo que se diz?

– O quê?

– Doce.

– Eu?

– Água doce. Marinheiro de água doce. Você quer esperar na sala, enquanto eu...

– Fico aqui com você. A menos que...

– Não, pode ficar. Quem sabe a gente já abre o vinho e fica bebericando, enquanto eu...

– Adoro bebericar. Uma beleza, o seu abridor.

– Obrigado. Este vinho precisa respirar um pouco antes de ser servido. Pode parecer bobagem mas...

– Não, não. Respirar é das coisas mais importantes que existem.

– Ele precisa estar na temperatura ambiente.

– Adoro a temperatura ambiente.

– Você está disposta a experimentar o meu bobó?

– O seu...

– Bobó de camarão. Minha especialidade.

– Ah, claro. Não foi para isso que você me convidou? Adoro bobó.

– Você já comeu alguma vez?

– Nunca. Mas adoro.

– Olha o vinho.

– Mmmmm.

– Hein?

– Eu disse "Mmmmm"... Epa!

– Desculpe. Estou um pouco nervoso. Sabe como é, a responsabilidade. Você pode não gostar do meu...

– Bobo.

– Bobó.

– Bobo é você. Vou adorar o seu bobó.

– Será que o vinho vai manchar o seu vestido?

– Não. Em todo o caso...

– Quem sabe um pano com água quente? É só esquentar a água e...

– Adoro tudo o que é quente. Uma beleza a sua chaleira.

– Enquanto isto, vou preparando os ingredientes. Deixa ver. Pimentinha...

– Sim?

– Não, eu disse "pimentinha".

– Não me diz que leva pimenta!

– Leva. Você não gosta?

– Adoro!

– É da braba.

– Ui! Você, hein? Com esse jeito tímido... Só de ouvir falar em pimenta, fiquei toda arrepiada. Passa a mão aqui...

– É mesmo. Que estranho. Só de ouvir falar em pimenta...

– Mal posso esperar o seu bobó.

– Calma, calma.

– Demora muito?

– Se você me der uma mão... Na geladeira na parte de baixo, estão os camarões... Você vai ter que se abaixar um pouco e...

– Beleza a sua geladeira. Foi você que assobiou?

– Não, foi a minha chaleira. Mas...

– Sim?

– Eu concordo com ela.

– Mmmmm...

Os dois tinham fama de grandes conhecedores de vinho e nenhum dos dois se interessava em desmentir o equívoco. Iam enganando a todos e um ao outro com sua suposta cultura enológica. Que, como se sabe, só depende de ter uma pose, duas ou três frases e uma razoável pronúncia em francês. Mas aconteceu o seguinte: os dois foram almoçar juntos. Pela primeira vez, as duas falsas autoridades se encontravam diante de pratos e – suspense – copos vazios. Embora o motivo do almoço fosse outro, para todos os efeitos era um desafio. Qual dos dois entendia mais de vinho?

Não pediram aperitivos para não amortecer o paladar. Até aí eles sabiam. Fizeram sua escolha do cardápio. Os dois pediram carne. Depois um deles sugeriu, com estudada indiferença:

– Quem sabe um vinhozinho?

– Claro – disse o outro, com naturalidade. Mas suava, temendo o desmascaramento. Fez uma rápida recapitulação mental de tudo o que realmente sabia sobre vinhos. Não daria para encher um copo. Mas não podia se entregar.

– Qual você prefere? – perguntou o outro, tomando a ofensiva. Também temia ser descoberto. Tinha um enorme livro sobre vinhos impresso na Suíça em 117 cores, na mesa de centro da sua sala. Era para decoração, jamais o abrira. Esperou a resposta do outro com ansiedade. O que fosse sugerido ele aceitaria em seguida. Era mais seguro. Depois, seria só uma questão de beber polidamente e fazer todos os ruídos apropriados até o fim do almoço. Mas o outro hesitou. Depois, riu e disse:

– Um tinto, claro.

– Claro – riu o primeiro, dando a entender que também achava graça da simulada inocência do outro. Com carne, vinho tinto. Até aí todos nós sabemos. O outro disse:

– Olha, para mim qualquer tinto seco está bem. Escolha você.

O primeiro estremeceu. E agora? O *maître* esperava o pedido, impassível. Resolveu blefar. Era a única saída. Audácia e surpresa, e o inimigo recuaria em desordem. Inventaria um nome francês qualquer, com a pronúncia correta para intimidar o outro, e esperaria a reação.

– O que acha você de um Cave de Mourville?

O outro nem piscou. Fez um ar de aprovação, mas sem muito entusiasmo. Tinha as suas dúvidas.

– Não sei... O último que provei me pareceu um pouco, sei lá.

Reticente. Algo contido. E um Cave de Mourville não tem o direito de ser egoísta, você não concorda?

Epa. Era preciso ter cuidado. O primeiro comeu uma azeitona para reagrupar as suas forças. Reatacou:

– Você deve ter tomado um 57. Foi um péssimo ano para a região.

– Não, um 62.

– Impossível.

– Meu caro, não precisei nem olhar o rótulo. Conheço os meus 62 de olhos fechados.

A tensão era grande. O primeiro agora sabia que o outro era um farsante. Mas não podia descartar a possibilidade de que o outro entendia mesmo do assunto, pegara o seu blefe e agora o estava testando. Virou-se gravemente para o *maître* e perguntou:

– O Cave de Mourville de vocês, de que ano é?

– Infelizmente, nosso último Cave de Mourville saiu ontem – disse o *maître*, outro farsante.

E os dois, aliviados, gritaram ao mesmo tempo:

– Então traz uma mineral!

O CLUBE

– **A**qui estamos nós. Cada vez mais velhos...

– E gordos...

– Você está enorme.

– Você também.

– Graças a Deus. Já perdi todos os meus apetites, menos o de comida.

– É o que eu sempre digo: comida é bom e alimenta.

– O clube está deserto. Os criados foram todos embora?

– Você não se lembra? Não há mais criados.

– É mesmo. Não havia mais razão para mantê-los aqui. Afinal, nos reunimos só uma vez por mês.

– Mas eu vivo só para estas reuniões.

– Eu também. Não há mais nada.

– Hrmf.

– Hein?

– Eu disse, "hrmf". Um barulho de velho. Não significa nada.

– Não compreendo por que esta mesa posta para doze. Do grupo original, só sobramos nós dois.

– É a tradição. Temos que manter a tradição. Cada lugar vazio corresponde a um membro do clube que se foi.

– Ali se sentava o... Como era mesmo?

– O Gastão.

– Gastão, Gastão... Não sei se me lembro...

– Advogado. Morreu aqui na mesa mesmo, com uma espinha de peixe atravessada na garganta. Foi um escândalo. Ele rolou por cima da mesa. Destruiu um pudim de claras que parecia estar ótimo. Nunca o perdoei.

– É engraçado. Não consigo me lembrar...

– Fazia um assado de perna de vitela com molho de hortelã.

– Claro! Agora me lembro. E batatas *noisette*. Sim, sim...

– Ali sentava o doutor Malvino.

– Camarões com molho de nata.

– Não. Musse de salmão.

– Exato. Divina. E do lado dele...

– O Cerdeira. O primeiro dos nossos a morrer. Coração.

– Me lembro. Lamentável. Todos sentimos muito a sua morte. Ninguém fazia uma salada de anchovas como ele.

– Se ao menos tivesse deixado a receita do molho...

– Lamentável, lamentável.

– E quando morreu o Parreirinha?

– Nem me fale. Foi um golpe duro. Pensar que nunca mais provaríamos o seu creme de avelãs.

– Todos os membros do clube foram ao seu enterro. Houve cenas de desespero. Muitos salivavam descontroladamente junto ao caixão.

– A viúva alegou que ele não deixara a receita. Pensamos em recorrer à Justiça, lembra? Era birra dela. Dizia que o clube tinha matado o Parreirinha, de congestão.

– Balela. Sempre fomos incompreendidos. Nos acusavam de sermos símbolos de uma classe empanturrada pela própria inconsciência, qualquer coisa assim. Diziam que para nós a comida era tudo. Injustiça.

– Claro. Também havia a bebida.

– Ali sentava o Rego.

– Outra perda lamentável.

– Esta eu não senti muito. Para ser franco, nunca gostei muito da sua massa-podre.

– E o Maurino...

– Maurino. Não estou situando bem a pessoa...

– Por amor de Deus. Maurino. Um dos homens mais importantes desta república. Nosso membro mais ilustre. Cirrose hepática.

– O que é que ele fazia?

– Ovos recheados com trufas.

180

– Ah, aquele Maurino! Inesquecível.

– Mas chega de recordações. Vamos ao prato de hoje.

– Preparei a minha especialidade. Panquecas de *hadock* flambadas ao conhaque.

– Ahn...

– Hein?

– "Ahn..." Um gemido de prazer.

– Me ajude com o conhaque. Já não consigo segurar...

– Cuidado. Assim. Epa.

– Derramou um pouco na toalha. Não faz mal.

– Cuidado com esse fósforo. Não aproxime muito da... Olha aí, prendeu fogo na toalha.

– Olha a garrafa!

– Caiu embaixo da mesa.

– O fogo já chegou no chão.

– Você, quando fala em "flambé", é "flambé" mesmo... Toda a mesa está em chamas.

– Salva as panquecas! Salva as panquecas!

– Tarde demais.

– Acho que devíamos chamar alguém para...

– Já estamos cercados pelo fogo. Não há ninguém aqui. E eu, francamente, não tenho ânimo para sair desta cadeira.

– Eu sei que a pergunta, a esta altura, é acadêmica, mas que conhaque era?

– Hennesy quatro estrelas, naturalmente. Eu não uso outra coisa.

– Pelas chamas, eu juraria que era um Martel.

– Ai.

– Hein ?

– "Ai". Denotando dor. Acho que está pegando fogo na minha calça. Qual seria o seu prato para a nossa próxima reunião?

– Bisque de lagosta.

– Pena, pena. Enfim...

– O pior é morrer assim, queimado.

– Você preferia como?

– Pelo menos mal-passado.

ISABEL

Apontamentos para uma história de horror. Ou um novelão. Uma mulher – trinta e quatro, trinta e cinco anos, solteira, tímida, poucos amigos, morando sozinha – está um dia olhando os novos lançamentos numa livraria, pois seu maior prazer é a leitura, quando sente uma mão no seu braço e ouve uma voz de homem que diz:

– Vamos?

Ela vira-se, já pronta para repelir o homem rispidamente, como faz com todos que ousam importuná-la, quando nota que o homem é cego. Fica sem saber o que dizer. O homem estranha o silêncio, aperta o seu braço e diz:

– Isabel?

E ela, sem saber por que, mas com a intuição de que a sua vida a partir daquele instante será outra, o coração batendo, diz:

– Sim...

– Vamos?

E ela, o coração batendo:

– Vamos.

O homem é mais moço do que ela. Bonito. Bem vestido. Bem cuidado. Deixa-se guiar por ela, fazendo perguntas sem muito interesse. Por que estão pegando um táxi e não o carro? Ela diz que perdeu a chave do carro na rua. Ele sorri e diz "Você..." Quando chegam no apartamento dela ele pergunta onde estão. Ela diz "Em casa..." e ele diz "Estranho..." Mas não diz mais nada. Nem quando ela faz ele sentar numa poltrona que certamente não é a favorita dele. Nem quando tira os seus sapatos, e afaga sua cabeça, e

182

pergunta se ele quer alguma coisa antes do jantar. Só quando ela pergunta o que ele quer que ela faça para o jantar, diz:

– Você vai cozinhar?

– Vou.

– E a cozinheira?

– Despedi.

Ele parece não se interessar muito. Perde-se dentro do apartamento à procura do quarto, pois quer trocar de roupa. Ela o guia de volta à cadeira. Diz que é para ele ficar quieto, deixar tudo com ela. E para si mesma diz: amanhã preciso comprar umas roupas pra ele. Ela capricha no jantar, que ele come em silêncio.

Ele não comenta que a voz dela está diferente. Não acha mais nada estranho. Só na cama, quando ela o abraça, e guia a mão dele pelo seu corpo, ele começa a dizer:

– Sabe...

Mas ela cobre a boca dele com a sua.

Era uma mulher solitária, nunca tivera ninguém para cuidar. E agora tinha um homem em casa. Um homem que precisava dela, que não podia fazer nada sem ela. Um homem que não podia ver o seu rosto.

Cuidava dele, tinha certeza, melhor do que a mulher de verdade. Dava banho nele. Vestia-o com a roupa que ela escolhia e comprava. E à noite, na cama, amava-o como, tinha certeza, nenhuma mulher jamais o amara.

Ela se perguntava se ele realmente acreditava que ela era a mulher dele. A voz. Não desconfiava da voz? E da súbita mudança de vida? O desaparecimento de amigos, do resto da família... Mas como saber que vida ele levava com a outra?

Convenceu-se que ele sabia que se enganara, aquele dia, na livraria, sabia que estava vivendo com outra mulher, mas que preferia assim. Até que uma noite, na cama, depois de se amarem como todas as noites, ele de repente perguntou:

– Você é mesmo a Isabel?

Ela hesitou. Se dissesse "não" podia ouvir dele a frase "Eu sabia", e a confissão que preferia assim, e que a amava apesar dela ter-se passado pela outra, e mantê-lo preso naquele apartamento. Mas também podia perdê-lo para sempre. Não arriscou. Respondeu:

– Claro que sou. Que pergunta!

Na manhã seguinte, quando ela acordou, ele não estava do seu lado na cama. Ela o encontrou na cozinha, morto. Tinha cortado os pulsos com a faca do pão.

Foi difícil explicar por que ela sabia tão pouco daquele homem que vivia com ela e se matara na sua cozinha. Só sabia mesmo o que estava na sua carteira. Foi a própria polícia que, dias depois, contou a ela tudo que ela não sabia. O homem ficara cego ainda em criança. Perdera os pais. Vivia sozinho com a irmã.

– E a mulher – corrigiu ela, ainda zonza. Não conseguia pensar direito desde que descobrira o corpo na cozinha.

– Não, não. Nunca casou. Viviam sozinhos, ele e a irmã. Ele tinha desaparecido. Se perdeu dela numa livraria e a irmã estava preocupadíssima.

– Irmã?

– É. Isabel.

HISTÓRIAS

Depois tem a história do Branco. O Branco contou na roda que estivera preso por questões políticas, mas que não fora torturado.

Em vez disto, colocaram o Branco numa cela com o Tocão, que tinha mais de peito do que o Branco tem de altura, com a recomendação de lhe contar histórias. O Tocão gostava de ouvir histórias. O Branco só devia parar de contar histórias quando o Tocão dissesse "chega". Senão, ó... E o delegado juntou as duas mãos lentamente, como quem amassa alguma coisa, dando a entender que entre as mãos do Tocão estaria a cabeça do Branco.

Quando entrou na cela, o Branco deu bom-dia mas o Tocão não respondeu. Só grunhiu. Sem perder tempo, o Branco começou:

– Era uma vez...

Olhou para o Tocão para ver se era esse o tipo de história que ele gostava. O Tocão estava impassível. Branco continuou:

– ...uma princesa que morava num castelo. Um dia um passarinho chegou na janela da princesa e...

Durante muitas horas o Branco contou sua história. O Tocão não fazia um som. Seus olhos não se desprendiam da boca do Branco. Entrou de tudo na história do Branco. Príncipe. Madrasta. Lobo. Sapo. Dragão. Anão. Vovozinha. Bruxa. Caçadores.

Várias vezes o Branco sugeriu que a história tinha terminado.

– E viveram felizes para sempre...

Mas o Tocão não dizia nada. E o Branco, apavorado, emendava outra história.

– Enquanto isto, em outro castelo, longe dali...

185

O Branco contou todas as histórias de fada que conhecia e inventou mais algumas. Quando não sabia mais o que inventar, começou a contar filmes, romances, tudo que pudesse lembrar. O dia raiou e o Tocão continuava olhando para a boca do Branco. O Branco espremia a própria cabeça, metaforicamente, para se lembrar de mais histórias. Já esgotara todos os enredos possíveis. Recorrera à Bíblia, às Mil e uma Noites, a Dom Quixote, a Homero, a Janete Clair. Começou a recontar histórias, variando alguns detalhes para o Tocão não desconfiar. Na nova versão, a vovozinha comia o lobo. Misturou histórias. Scheerazade e o Negrinho do Pastoreio contra Darth Vader. Pinóquio, Rei Artur e Capitão Nemo encontram os Três Mosqueteiros nas estepes e preparam uma emboscada para o mensageiro do Tzar. Os dias passavam e o Tocão não desgrudava os olhos da boca do Branco. O Branco não tinha mais voz. Decidiu contar histórias de pouca ação, mas com muito conteúdo psicológico, para ver se o Tocão se chateava e dizia "Chega". E o Tocão nem piscava. Finalmente o Branco se atirou contra as grades e gritou – ou sussurrou, pois não tinha mais voz – que não agüentava mais, que o tirassem dali, que confessaria tudo. O delegado veio, abriu a porta da cela para o Branco sair e fez o sinal de "positivo" para o Tocão, que era surdo e mudo e nunca na vida matara uma mosca.

Teve gente na roda que pensou seriamente em esmagar a cabeça do Branco.

SENSITIVA

— Silêncio no estúdio... Rodando!
– Vem, meu garanhão...
– Já vou.
– Corta. O que houve, Aloísio? A sua fala não é essa.
– Não, é que eu não estava pronto.
– Algum problema?
– Nada, nada.
– Podemos rodar?
– Vamos lá.
– Atenção. Silêncio no estúdio... Rodando!
– Vem, meu garanhão...
– Sua... sua...
– Corta. E aí, Aloísio? Sua fala é "Sua safadinha".
– Eu sei. É que na hora... "Sua safadinha". Não tem grilo. "Sua safadinha." Tá na mão. Vamos lá.
– Atenção. Silêncio. Rodando!
– Vem, meu garanhão...
– Sua safadinha...
– Safadinha, como você gosta. Vem!
– Minutinho.
– Corta! Aloísio...
– Eu sei. Eu sei. Desculpe.
– Você não diz "minutinho". Você tira as calças e deita.
– Certo.
– Qual é o galho?
– É que. Sei lá. Não consigo me concentrar.

– Depois de "sua safadinha" você não tem mais nenhuma fala. É tudo ação. Até o fim da cena. Ela diz "oh, sim; oh, sim" mas você não diz mais nada.

– Positivo.

– Algum problema com o cinto?

– É que ela diz "meu garanhão" e...

– O quê?

– Eu acho que não vou corresponder à expectativa.

– O que é? Problemas em casa?

– Não. É tudo, entende? A situação do Brasil. A inflação. O desemprego. A dívida externa. Estou preocupado.

– Era só o que me... Você não pode ser um sensitivo, Aloísio. Não no seu trabalho.

– O que é que eu vou fazer? Me preocupo.

– Vamos ter que usar o dublê.

– Acho melhor.

– Chamem o Vadão.

– Vadão! Acorda, Vadão!

– Estamos aí.

– Vadão, você sabe como é a cena. Você diz "Sua safadinha" e pumba.

– Pumba. Pode deixá.

– Você quer tempo para se preparar?

– O que é isso? Estou sempre preparado.

– Deus te abençoe. Vamos lá. Atenção. Silêncio no estúdio... Rodando!... Corta! Que foi, Lucimar?

– O que o Aloísio falou. Fiquei nervosa.

– Olhem aqui. De hoje até terminarem as filmagens, ninguém mais neste elenco lê jornal!

BRINCADEIRA

Começou como uma brincadeira. Telefonou para um conhecido e disse:

– Eu sei de tudo.

Depois de um silêncio, o outro disse:

– Como é que você soube?

– Não interessa. Sei de tudo.

– Me faz um favor. Não espalha.

– Vou pensar.

– Por amor de Deus.

– Está bem. Mas olhe lá, hein?

Descobriu que tinha poder sobre as pessoas.

– Sei de tudo.

– Co-como?

– Sei de tudo.

– Tudo o quê?

– Você sabe.

– Mas é impossível. Como é que você descobriu?

A reação das pessoas variava. Algumas perguntavam em seguida:

– Alguém mais sabe?

Outras se tornavam agressivas:

– Está bem, você sabe. E daí?

– Daí, nada. Só queria que você soubesse que eu sei.

– Se você contar para alguém, eu...

– Depende de você.

– De mim, como?

– Se você andar na linha, eu não conto.

– Certo.

Uma vez, parecia ter encontrado um inocente.

– Eu sei de tudo.

– Tudo o quê?

– Você sabe.

– Não sei. O que é que você sabe?

– Não se faça de inocente.

– Mas eu realmente não sei.

– Vem com essa.

– Você não sabe de nada.

– Ah, quer dizer que existe alguma coisa para saber, mas eu é que não sei o que é?

– Não existe nada.

– Olha que eu vou espalhar...

– Pode espalhar que é mentira.

– Como é que você sabe o que eu vou espalhar?

– Qualquer coisa que você espalhar será mentira.

– Está bem. Vou espalhar.

Mas dali a pouco veio um telefonema.

– Escute. Estive pensando melhor. Não espalha nada sobre aquilo.

– Aquilo o quê?

– Você sabe.

Passou a ser temido e respeitado. Volta e meia alguém se aproximava dele e sussurrava:

– Você contou para alguém?

– Ainda não.

– Puxa. Obrigado.

Com o tempo, ganhou uma reputação. Era de confiança. Um dia, foi procurado por um amigo com uma oferta de emprego. O salário era enorme.

– Por que eu? – quis saber.

– A posição é de muita responsabilidade – disse o amigo. – Recomendei você.

– Por quê?

– Pela sua discrição.

Subiu na vida. Dele se dizia que sabia tudo sobre todos mas nunca abria a boca para falar de ninguém. Além de bem informado, um *gentleman*. Até que recebeu um telefonema. Uma voz misteriosa que disse:

– Sei de tudo.

– Co-como?

– Sei de tudo.

– Tudo o quê?

– Você sabe.

Resolveu desaparecer. Mudou-se de cidade. Os amigos estranharam o seu desaparecimento repentino. Investigaram. O que ele estaria tramando? Finalmente foi descoberto numa praia remota. Os vizinhos contam que uma noite vieram muitos carros e cercaram a casa. Várias pessoas entraram na casa. Ouviram-se gritos. Os vizinhos contam que a voz que mais se ouvia era a dele, gritando:

– Era brincadeira! Era brincadeira!

Foi descoberto de manhã, assassinado. O crime nunca foi desvendado. Mas as pessoas que o conheciam não têm dúvidas sobre o motivo.

Sabia demais.

O Homem Trocado

O homem acorda da anestesia e olha em volta. Ainda está na sala de recuperação. Há uma enfermeira do seu lado. Ele pergunta se foi tudo bem.

– Tudo perfeito – diz a enfermeira, sorrindo.

– Eu estava com medo desta operação...

– Por quê? Não havia risco nenhum.

– Comigo, sempre há risco. Minha vida tem sido uma série de enganos...

E conta que os enganos começaram com seu nascimento. Houve uma troca de bebês no berçário e ele foi criado até os dez anos por um casal de orientais, que nunca entenderam o fato de terem um filho claro com olhos redondos. Descoberto o erro, ele fora viver com seus verdadeiros pais. Ou com sua verdadeira mãe, pois o pai abandonara a mulher depois que esta não soubera explicar o nascimento de um bebê chinês.

– E o meu nome? Outro engano.

– Seu nome não é Lírio?

– Era para ser Lauro. Se enganaram no cartório e...

Os enganos se sucediam. Na escola, vivia recebendo castigo pelo que não fazia. Fizera o vestibular com sucesso mas não conseguira entrar na universidade. O computador se enganara, seu nome não apareceu na lista.

– Há anos que a minha conta do telefone vem com cifras incríveis. No mês passado tive que pagar mais de Cr$ 300 mil.

– O senhor não faz chamadas interurbanas?

– Eu não tenho telefone!

192

Conhecera sua mulher por engano. Ela o confundira com outro. Não foram felizes.

– Por quê?

– Ela me enganava.

Fora preso por engano. Várias vezes. Recebia intimações para
pagar dívidas que não fazia. Até tivera uma breve, louca alegria,
quando ouvira o médico dizer:

– O senhor está desenganado.

Mas também fora um engano do médico. Não era tão grave
assim. Uma simples apendicite.

– E se você diz que a operação foi bem...

A enfermeira parou de sorrir.

– Apendicite? – perguntou, hesitante.

– É. A operação era para tirar o apêndice.

– Não era para trocar de sexo?

O ATOR

O homem chega em casa, abre a porta e é recebido pela mulher e os dois filhos, alegremente. Distribui beijos entre todos, pergunta o que há para jantar e dirige-se para o seu quarto. Vai tomar um banho, trocar de roupa e preparar-se para algumas horas de sossego na frente da televisão antes de dormir. Quando está abrindo a porta do seu quarto ouve uma voz que grita:

– Corta!

O homem olha em volta, atônito. Descobre que sua casa não é uma casa, é um cenário. Vem alguém e tira o jornal e a pasta das suas mãos. Uma mulher vem ver se a sua maquilagem está bem e põe um pouco de pó no seu nariz. Aproxima-se um homem com um script na mão dizendo que ele errou uma das falas na hora de beijar as crianças.

– O que é isso? – pergunta o homem. – Quem são vocês? O que estão fazendo dentro da minha casa? Que luzes são essas?

– O que, enlouqueceu? – pergunta o diretor. – Vamos ter que repetir a cena. Eu sei que você está cansado, mas...

– Estou cansado, sim senhor. Quero tomar meu banho e botar meu pijama. Saiam da minha casa. Não sei quem são vocês, mas saiam todos! Saiam!

O diretor fica parado de boca aberta. Toda a equipe fica em silêncio, olhando para o ator. Finalmente o diretor levanta a mão e diz:

– Tudo bem, pessoal. Deve ser estafa. Vamos parar um pouquinho e...

– Estafa coisa nenhuma! Estou na minha casa, com a minha...

194

A minha família! O que vocês fizeram com ela? Minha mulher! Os meus filhos!

O homem sai correndo entre os fios e os refletores, à procura da família. O diretor e um assistente tentam segurá-lo. E então ouve-se uma voz que grita:

– Corta!

Aproxima-se outro homem com um script na mão. O homem descobre que o cenário, na verdade, é um cenário. O homem com um script na mão diz:

– Está bom, mas acho que você precisa ser mais convincente.

– Que-quem é você?

– Como, quem sou eu? Eu sou o diretor. Vamos refazer esta cena. Você tem que transmitir melhor o desespero do personagem. Ele chega em casa e descobre que sua casa não é uma casa, é um cenário. Descobre que está no meio de um filme. Não entende nada.

– Eu não entendo...

– Fica desconcertado. Não sabe se enlouqueceu ou não.

– Eu devo estar louco. Isto não pode estar acontecendo. Onde está minha mulher? Os meus filhos? A minha casa?

– Assim está melhor. Mas espere até começarmos a rodar. Volte para a sua marca. Atenção, luzes...

– Mas que marca? Eu não sou personagem nenhum. Eu sou eu! Ninguém me dirige. Eu estou na minha própria casa, dizendo as minhas próprias falas...

– Boa, boa. Você está fugindo um pouco do script, mas está bom.

– Que script? Não tem script nenhum. Eu digo o que quiser. Isto não é um filme. E mais, se é um filme, é uma porcaria de filme. Isto é simbolismo ultrapassado. Essa de que o mundo é um palco, que tudo foi predeterminado, que não somos mais do que atores... Porcaria!

– Boa, boa. Está convincente. Mas espere começar a filmar. Atenção...

O homem agarra o diretor pela frente da camisa.

– Você não vai filmar nada! Está ouvindo? Nada! Saia da minha casa.

O diretor tenta livrar-se. Os dois rolam pelo chão. Nisto ouve-se uma voz que grita:

– Corta!

SAUDADE

A ilha só não é uma ilha deserta de cartum porque em vez de uma palmeira tem várias. Mas no resto é igual. Os náufragos são dois. Dá para ver o tempo que estão na ilha pelo comprimento das suas barbas, e as barbas batem no joelho. Estão falando sobre mulher.

– Tem um ponto, acho que é aqui no pescoço – faz tanto tempo – em que todas cheiram igual.

– Bobagem. Cada uma tem um cheiro diferente.

– Não, não. Tenho certeza quase absoluta. É aqui, nesta dobra. Um cheiro, assim, doce. Todas.

– E você cheirou todas?

– Todas as que eu conheci tinham o mesmo cheiro aqui. Eu enchia as narinas, meu Deus. Eu...

– Não vá começar a chorar outra vez. Você prometeu.

– Sabe o que é que eu me lembro? O antebraço.

– Onde é que ficava isso?

– Aqui em cima. O antebraço é a coxa do braço. O braço era embaixo.

– Não é o contrário?

– Não importa o nome. Aquela parte carnuda, em cima.

– Já localizei. O que que tem?

– É a parte da mulher que envelhece mais devagar.

– Você está delirando.

– É fato. Quando a mulher é nova, a carne ali é rija. Depois de uma certa idade ela perde a rigidez, mas não fica flácida logo. Fica, assim, cheia. Roliça.

– História.

– Até nas magras, aquela parte é carnuda. Nunca conheci uma magra que não tivesse, pelos menos ali, um montinho remissor. Alguma coisa onde se meter os dentes.

– Lembra as magras de peito grande?

– Lá vem você com peito.

– Sempre fui um homem de peitos.

– Está bem, está bem. Mas não generaliza. Pense naquela curva aqui, saindo da axila e inchando suavemente, suavemente... Dizem que não existem dois seios iguais no mundo.

– Como que não? Pelos menos dois tem que haver.

– Não há! Não é fantástico? O esquerdo é diferente do direito.

– Vem com essa. Só porque cada um olha para um lado.

– Não. São diferentes. Têm personalidades diferentes, tudo.

– E eu tenho que agüentar...

– Lembra nuca?

– Nuca...

– Quando elas puxavam o cabelo para cima, sempre sobravam uns fios na nuca.

– Puxa. Eu tinha me esquecido da nuca.

– É onde a mulher tem o cabelo mais fino.

– Não vem com teoria.

– A curva do ombro. As costas quentes. Aquele ponto onde ainda não é a nádega mas já há uma elevação, um prenúncio...

– A junção da nádega com a parte de trás da coxa...

– Ah, aquela prega.

– Não tinha prega nenhuma.

– Como que não? Uma espécie de subnádega. Cansei de ver.

– Nas suas, talvez. Que eu me lembre, terminava a nádega e começava a coxa, direto.

– Por amor de Deus. E aqueles riscos que elas tinham embaixo da nádega, o que eram? Bigodes?

– Nunca vi risco nenhum.

– Porque você não prestou atenção. Só via peito.

– Está bem. Concedo a prega.

– Agora, formidável era como a frente das coxas se projetava, lembra?

– Mmmm.

– A curva das coxas se salientava. Era uma curva longa, do quadril até o joelho. Um leve arco protuberante.

– Dos joelhos, sempre preferi a parte de trás.

– Os vãos. Exato.

– Nas coxas, às vezes, você não via, mas olhando de perto notava uma leve penugem.

– Tão leve que passando a mão não se sentia.

– Muitas raspavam as pernas.

– Às vezes ficavam cortes. Pequenos cortes.

– Isso. Criavam casca.

– Só olhando bem de perto a gente via.

– A pele macia e aquele cortezinho. Pobrezinhas.

– A pele macia...

– A perna atrás. Do vão dos joelhos até o tornozelo.

– O tornozelo. Enrugadinho, mas lindo.

– O dedinho do pé, sempre meio encurvado para dentro.

– Todo aquele grande trecho do pescoço, da orelha até o ombro.

– Orelha!

– A boca.

– Não fala.

– O lábio inferior um pouquinho maior que o superior.

– Os dentinhos, às vezes saltados. Mmmm.

– A gente encostava a cabeça num seio e ouvia o coração.

– Era morno. Tudo era morno.

– Aquelas duas entrâncias na base das costas.

– O umbigo...

– Ah...

– Você prometeu que não ia chorar mais.

– Por que você foi falar no umbigo?

PÁ, PÁ, PÁ

A americana estava há pouco tempo no Brasil. Queria aprender o português depressa, por isto prestava muita atenção em tudo que os outros diziam. Era daquelas americanas que prestam muita atenção.

Achava curioso, por exemplo, o "pois é". Volta e meia, quando falava com brasileiros, ouvia o "pois é". Era uma maneira tipicamente brasileira de não ficar quieto e ao mesmo tempo não dizer nada. Quando não sabia o que dizer, ou sabia mas tinha preguiça, o brasileiro dizia "pois é". Ela não agüentava mais o "pois é".

Também tinha dificuldade com o "pois sim" e o "pois não". Uma vez quis saber se podia me perguntar uma coisa.

– Pois não – disse eu, polidamente.

– É exatamente isso! O que quer dizer "pois não"?

– Bom. Você me perguntou se podia fazer uma pergunta. Eu disse "pois não". Quer dizer "pode, esteja à vontade, estou ouvindo, estou às suas ordens..."

– Em outras palavras, quer dizer "sim".

– É.

– Então por que não se diz "pois sim"?

– Porque "pois sim" quer dizer "não".

– O quê?!

– Se você disser alguma coisa que não é verdade, com a qual eu não concordo, ou acho difícil de acreditar, eu digo "pois sim".

– Que significa "pois não"?

– Sim. Isto é, não. Porque "pois não" significa "sim".

– Por quê?

199

– Porque o "pois", no caso, dá o sentido contrário, entende? Quando se diz "pois não", está-se dizendo que seria impossível, no caso, dizer "não". Seria inconcebível dizer "não". Eu dizer não? Aqui, ó.
– Onde?
– Nada. Esquece. Já "pois sim" quer dizer "ora, sim!" "Ora se eu vou aceitar isso." "Ora, não me faça rir. Rá, rá, rá."
– "Pois" quer dizer "ora"?
– Ahn... Mais ou menos.
– Que língua!
Eu quase disse: "E vocês, que escrevem "tough" e dizem "tâf"? mas me contive. Afinal, as intenções dela eram boas. Queria aprender. Ela insistiu:
– Seria mais fácil não dizer o "pois".
Eu já estava com preguiça.
– Pois é.
– Não me diz "pois é"!

Mas o que ela não entendia mesmo era o "pá, pá, pá".
– Qual o significado exato de "pá, pá, pá"?
– Como é?
– "Pá, pá, pá".
– "Pá" é pá. "Shovel". Aquele negócio que a gente pega assim e...
– "Pá" eu sei o que é. Mas "pá" três vezes?
– Onde foi que voce ouviu isso?
– É a coisa que eu mais ouço. Quando brasileiro começa a contar história, sempre entra o "pá, pá, pá".
Como que para ilustrar nossa conversa, chegou-se a nós, providencialmente, outro brasileiro. E um brasileiro com história:
– Eu estava ali agora mesmo, tomando um cafezinho, quando chega o Túlio. Conversa vai, conversa vem e coisa e tal e pá, pá, pá...
Eu e a americana nos entreolhamos.
– Funciona como reticências – sugeri eu. – Significa, na verdade, três pontinhos. "Ponto, ponto, ponto."
– Mas por que "pá" e não "pó"? Ou "pi" ou "pu"? Ou "etcetera"?

Me controlei para não dizer – "E o problema dos negros nos Estados Unidos"?

Ela continuou:

– E por que tem que ser três vezes?

– Por causa do ritmo. "Pá, pá, pá". Só "pá, pá" não dá.

– E por que "pá"?

– Porque sei lá – disse, didaticamente.

O outro continuava sua história. História de brasileiro não se interrompe facilmente.

– E aí o Túlio veio com uma lengalenga que vou te contar. Porque pá, pá, pá...

– É uma expressão utilitária – intervi. – Substitui várias palavras (no caso toda a estranha história do Túlio, que levaria muito tempo para contar) por apenas três. É um símbolo de garrulice vazia, que não merece ser reproduzida. São palavras que...

– Mas não são palavras. São só barulhos. "Pá, pá, pá."

– Pois é – disse eu.

Ela foi embora, com a cabeça alta. Obviamente desistira dos brasileiros. Eu fui para o outro lado. Deixamos o amigo do Túlio papapeando sozinho.

EXÉQUIAS

Quis o destino, que é um gozador, que aqueles dois se encontrassem na morte, pois na vida jamais se encontrariam. De um lado Cardoso, na juventude conhecido como Dosão, depois Doso, finalmente – quando a vida e a bebida e as mulheres erradas o tinham reduzido à metade – Dozinho. Do outro lado Rodopião Farias Mello Nogueira Neto, nenhum apelido, comendador, empresário, um dos pró-homens da República, grande chato. Grande e gordo. O seu caixão teve que ser feito sob medida. Houve quem dissesse que seriam necessários dois caixões, um para o Rodopião, outro para o seu ego. Já Dozinho parecia uma criança no seu caixãozinho. Um anjo encardido e enrugado. De Dozinho no seu caixão, disseram:

– Coitadinho.

De Rodopião:

– Como ele está corado!

Ficaram em capelas vizinhas antes do enterro. Os dois velórios começaram quase ao mesmo tempo. O de Rodopião (Rotary, ex-ministro, benemérito do Jockey), concorridíssimo. O de Dozinho, em termos de público, um fracasso. Dozinho só tinha dois ao lado do seu caixão quando começaram os velórios. Por coincidência, dois garçons.

Tanto Dozinho quanto Rodopião tinham morrido por vaidade. Dozinho, apesar de magro ("esquálido" como o descrevia carinhosamente, Dona Judite, professora, sua única mulher legitima), se convencera que estava ficando barrigudo e dera para usar um espartilho. Para não fazer má figura no *Dança Brasil*, onde

202

passava as noites. As mulheres do *Dança Brasil,* só por brincadeira, diziam sempre: "Você está engordando, Dozinho. Olhe essa barriga". E Dozinho apertava mais o espartilho. Um dia caiu na calçada com falta de ar. Não recuperou mais os sentidos. Claro que não morreu só disso. Bebia demais. Se metia em brigas. Arriscava a vida por um amigo. Deixava de comer para ajudar os outros. Se não fosse o espartilho, seria uma navalha ou uma cirrose.

Rodopião tinha ido aos Estados Unidos fazer um implante de cabelo e na volta houve complicações, uma infecção e – suspeita-se – uma certa demora deliberada de sua mulher em procurar ajuda médica.

E ali estavam, Dozinho e Rodopião, sendo velados lado a lado. Dozinho, o bom amigo, por dois amigos. Rodopião, o chato, por uma multidão. O destino etc.

Perto da meia-noite chegaram Dona Judite, que recém soubera da morte do ex-marido e se mandara de Del Castilho, e Magarra, o maior amigo de Dozinho. Magarra chorava mais que Dona Judite. "Que perda, que perda", repetia, e Dona Judite sacudia a cabeça, sem muita convicção. A capela onde estava sendo velado Rodopião lotara e as pessoas começavam a invadir o velório de Dozinho, olhando com interesse para o morto desconhecido, mas sem tomar intimidades. Magarra quis saber quem era o figurão da capela ao lado. Estava ressentido com aquela afluência. Dozinho é que merecia uma despedida assim. Um homem grisalho explicou para Magarra quem era Rodopião. Deu todos os seus títulos. Magarra ficou ainda mais revoltado. Não era homem de aceitar o destino e as suas ironias sem uma briga. Apontou com o queixo para Dozinho e disse:

– Sabe quem é aquele ali?

– Quem?

– Cardoso. O ex-senador.

– Ah... disse o homem grisalho, um pouco incerto.

– Sabe a Lei Cardoso? Autoria dele.

Em pouco tempo a notícia se espalhou. Estavam sendo velados ali não um, mas dois notáveis da nação. A freqüência na capela de Dozinho aumentou. Magarra circulava entre os grupos, enriquecendo a biografia de Cardoso.

– Lembra a linha média do Fluminense? Década de 40. Tatu, Matinhos e Cardoso. O Cardoso é ele.

Também revelou que Cardoso fora um dos inventores do raio laser, só que um americano roubara a sua parte. E tivera um caso com a Maria Callas na Europa. Algumas pessoas até se lembravam.

– Ah, então é aquele Cardoso?

– Aquele.

A capela de Dozinho também ficou lotada. As pessoas passavam pelo caixão de Rodopião, comentavam: "Está com um ótimo aspecto", e passavam para a capela de Dozinho. Cumprimentavam Dona Judite, que nunca podia imaginar que Dozinho tivesse tanto prestígio (até um representante do governador!), os dois garçons e Magarra.

– Grande perda.

– Nem me fale – respondia Magarra.

Veio a televisão. Magarra foi entrevistado. Comentou a ingratidão da vida. Um homem como aquele – autor da Lei Cardoso, cientista, com sua fotografia no salão nobre do Fluminense, homem do mundo, um dos luminares do seu tempo – só era lembrado na hora da morte. As pessoas esquecem depressa. O mundo é cruel. A câmara fechou nos olhos lacrimejantes de Magarra. A esta altura tinha mais público para o Dozinho do que para o Rodopião. Pouco antes de fecharem os caixões chegou uma coroa, para Dozinho. Do Fluminense.

O acompanhamento dos dois caixões foi parelho, mas a televisão acompanhou o de Dozinho. O enterro de Rodopião foi mais rápido porque o acadêmico que ia fazer o discurso esqueceu o discurso em casa. Todos se dirigiram rapidamente para o enterro do Cardoso, para não perder o discurso de Magarra.

– Cardoso! – bradou Magarra, do alto de uma lápide. – Mais do que exéquias, aqui se faz um desagravo. A posteridade trará a justiça que a vida te negou! Teus amigos e concidadãos aqui reunidos não dizem adeus, dizem bem-vindo à glória eterna!

Naquela noite, no *Dança Brasil*, antes de subir ao palco e anunciar o show de Rubio Roberto, a voz romântica do Caribe, Magarra disse para Mariuza, a favorita do Dozinho, que estranhara a sua ausência no cemitério àquela manhã. Mariuza se defendeu:

– Como é que eu ia saber que ele era tão importante?

E chorou, sinceramente.

FAMÍLIA

A Rocha

Com o tempo, dona Mimosa adquirira uma sólida autoridade moral sobre a família. Diziam:

– A dona Mimosa tem os pés no chão.

Também tinha a cabeça no lugar, um bom nariz para certas coisas e enxergava longe. A velhice só aumentava o seu prestígio. Agora, além do senso prático e da sabedoria herdada, tinha a experiência. Enterrara um marido, criara 11 filhos, ajudara a criar 20 netos e, se não tivera nada a ver com o começo da república, pelo menos estivera presente. Aos 100 anos estava lúcida e atenta. Várias gerações da família tinham-se orientado pelo seu nariz. E dona Mimosa não falhava.

– Vovó, o neném está com soluço.

– Bota um algodão molhado na testa.

– Tia Mimosa, o Olegário não sabe onde aplicar o dinheiro.

– Terra.

– Mamãe, estou pensando em mudar o forro do sofá...

– Cinza.

As gerações se sucediam mas os problemas eram parecidos.

– O Maneco não quer estudar.

– Traz ele aqui.

O Maneco ouvia uma preleção da dona Mimosa. Ouvia casos da família, de vagabundos que acabavam na ruína e de doutores feitos na vida. O importante era ter uma posição. Quem podia estudar e não estudava era pior que um vagabundo. Era um perdulário.

– O que é perdulário, bisa?

– Estuda para aprender!

Brigas por dinheiro ou propriedade. Casos de desconfianças ou ciúmes, entre cunhadas. Dúvidas sobre a saúde: opera ou não opera? Tudo acabava sendo decidido por dona Mimosa. Vez por outra ela tomava uma ação preventiva. Chamava o filho mais velho e dizia:

– Meu nariz me diz que o Tininho está em dificuldade. Investiga.

Ou:

– Tenho notado que a filha da Juraci sua muito. Acho que deve casar.

E estava sempre certa.

Nos momentos de grande crise, dona Mimosa era a rocha da salvação. Como na vez em que descobriram que o Biluca tinha outra família. Dona Mimosa não aceitou discutir o assunto reservadamente. Convocou uma reunião da família, vedada só aos menores de dezoito, e expôs o Biluca à reprovação geral, sem dizer uma palavra. Depois acertou com o Biluca, reservadamente, o que deveria ser dado como compensação à segunda família, que ele abandonaria imediatamente.

A primeira vez na sua vida que dona Mimosa não soube o que dizer foi quando lhe contaram que o Sidnei, com quarenta anos, estava fazendo *jazz*.

– Eu não sabia que ele tocava um instrumento.

– Não toca nada. Está numa aula de dança.

Pela primeira vez, em 100 anos, dona Mimosa ficou com a boca aberta.

Depois foi o tataraneto Duda – filho do Maneco, o vagabundo, que acabara se formando em direito – quem surpreendeu a velha com um pedido de dinheiro, já que o pai aplicara tudo no *open* e estava desprevenido. O Duda queria descolar uma nota *pra* levar umas *gatas* a Porto Seguro no maior *barato*, falou?

Dona Mimosa ainda tentou ser categórica. Era difícil viajar com gatos. Devia usar um balaio. Ou caixas de papelão. Mas era óbvio que ela estava tateando.

A família continuava procurando dona Mimosa pelos seus conselhos. Mas já não os aceitavam como antes.

– Vovó, acho que vou botar dinheiro numa butique só de coisas importadas para o banheiro. Já tenho até um nome: "Xixique".

– Não, não. Compra terra.

– Ora, vovó, terra...

Há dias levaram mais um problema para dona Mimosa.

– A Berenice vai sair de casa.

– Não deixa.

– Não adianta. Ela vai se juntar.

– O quê?

– Com a Valdirene.

– Ah, bom. Vai morar com uma amiga.

– Não. Vão formar um casal.

Silêncio.

– O que é que a senhora acha?

Dona Mimosa sentiu que o mundo lhe escapava. Seu nariz não lhe dizia mais nada. Era preciso, no entanto, resguardar a autoridade. Com um esforço, recompôs-se e perguntou:

– E essa Valdirene, tem uma posição?

REENCONTRO

Frederico entrou no apartamento puxando o amigo pelo braço. Gritou para a mulher:

– Lurdes, olha quem eu encontrei no elevador!

A mulher não reconheceu.

– É o Parra. Lembra como eu sempre falava no Parra? Pois este é o Parra!

O nome do outro era Parreira. Conhecido como Parra. Os dois tinham mais ou menos a mesma idade. Perto de cinqüenta. Mas o Parreira parecia mais moço. Não tinha barriga. Ainda tinha todo o cabelo, apesar de grisalho. Os dois ficaram se olhando e rindo.

– Velho Parra...

– Puxa, deve fazer o quê?

– Vinte anos.

– No mínimo.

– Espera lá. Me lembro direitinho da última vez que vi você. Foi no *Rond Point*. Femando Mendes com Nossa Senhora de...

– Copacabana – completou o outro.

– Exatamente.

– Você não pode se lembrar porque estava bêbado.

E para a mulher:

– Este cara era terrível. Flor de cafajeste. Hein, Parra?

– Que é isso – disse o outro, modestamente.

– Velho Parra.

– Velho Ponte.

– Quem é *Ponte?* – quis saber a Lurdes.

Frederico se atirara numa poltrona, às gargalhadas.

210

– Ponte era eu! Meu apelido na turma, porque gostava de brigar com paulista. Dava mais susto em paulista do que a ponte-aérea. Que naquele tempo era braba.

– Você também não era sopa.

– Senta aí, rapaz. Mas que prazer. Você janta conosco.

– Sei não..

– Mas que história é essa. Claro que sim. Vamos rememorar os bons tempos. Lembra da peruca no *Sacha's*? Lurdes, escuta esta. Este demente, um dia, me rouba a peruca da cabeça de uma mulher em pleno *Sacha's*. Sai correndo pela porta e pela Avenida Atlântica, com a dona da peruca atrás. E o marido da dona da peruca! Um paulista.

– Mas quem tirou a peruca da cabeça da mulher e botou na minha foi você! Conta essa história direitinho.

– O que nós aprontamos nesta cidade, hein, Parra?

– Puxa.

– Velho Parra.

Depois do jantar:

– É... Bons tempos. Você ainda bebe direitinho, hein, Parra? Eu, desde aquele tempo, não toquei mais em álcool. O fígado velho. E a idade. Uma porcaria.

– Mas o que é isso? Você está moço.

– Moço está você, seu filho da mãe. Uma pinta, não é Lurdes? Eu estou acabado. Minha filha mais velha fez dezessete anos. Veja você. E já saiu de casa. Você casou, Parra?

– Só duas ou três vezes.

– Grande safado. Lembra das menininhas? Nenhuma resistia a sua conversa. Sabe como é que chamavam o Parra na turma, Lurdes? Delamare, o rei dos nenéns.

– Você também não era brincadeira.

– É. Mas isso foi no tempo em que o Mar Morto estava agonizando. Hoje não dou mais pra nada. Uma ruína.

O outro ficou sério. Disse:

– Não te entrega, velho. Nunca. Olha pra frente. Passado é passado.

– Passado tou eu – disse Frederico, sério também.

– Vou fazer um cafezinho – anunciou Lurdes.

211

– Minha filha disse que o noivo dela vinha nos visitar hoje. Veja você. Noivo. Já sou quase sogro. Quase avô.

– A Sandra.

– É.

Silêncio.

– Você conhece a minha filha, Parra?

– Conheço.

Outro silêncio.

– O que é que você estava fazendo no elevador, Parra?

– Subindo para vir aqui.

Mais silêncio. Depois, o Parra continuou:

– Eu sou o noivo da Sandra, Ponte.

Frederico ficou olhando para o outro. Quando Lurdes voltou para a sala com o cafezinho encontrou os dois olhando um para o outro. Frederico do fundo da sua poltrona, Parra na beira do sofá. Em silêncio.

– Ué, acabaram as reminiscências?

Nenhuma palavra dos dois. Finalmente, Parra:

– O que é que você está pensando, velho?

– Estou tentando decidir se atiro você pela janela ou...

– Ou o quê?

– Sei lá.

– O que é que deu em vocês dois?

– Nada. Uma briga antiga.

– Essa é muito boa. Vinte anos depois, se encontram e brigam de novo? Tomem um cafezinho.

Frederico parecia estar afundando na poltrona. Não se mexeu para pegar o cafezinho. Olhava fixo para o crucifixo que aparecia pela camisa aberta do Parra. Ele ainda estava de terno e gravata.

Só para quebrar o silêncio, Lurdes falou:

– Nossa filha mais velha, a Sandra, disse que o noivo dela vinha nos visitar. Hoje em dia é assim. A gente só conhece quando já é noivo. Isso quando ainda há noivado. Quero só ver a cara.

– Ele não vem.

– Como é que você sabe, Fred?

Mas Frederico continuava olhando para o crucifixo.

– O que é que a gente dizia quando saía para a noite, Parra? "Famílias, tranquem as suas filhas!"

– Ela é uma menina maravilhosa, Ponte...

212

– Não! Essa não! Não vem com conversa. Pelo menos assume a canalhice. Não me conversa!

Lurdes não entendia nada.

– Fred.

– Eu não tenho culpa, Ponte – disse Parra – se você agora está do outro lado...

– Sai! Sai antes que eu te quebre a cara.

Lurdes entendeu menos ainda quando, depois de levar Parra até a porta, pedindo desculpas pelo comportamento estranho do Frederico, voltou para a sala e ouviu a pergunta do marido:

– Por que é que eu não tenho uma camisa igual à do Parra, Lurdes?

Ele um dia tinha sido eleito o Rei do Chá-Chá-Chá no *Crazy Horse*. Agora tinha o olhar morto de quem se entregou.

Tios

A primeira história de tio é do tio Paulito, que, desde que as crianças conseguiam se lembrar, almoçava na casa todos os dias, e nos domingos trazia um pacote de bala de coco. Falava pouco e era, mesmo, tão inexpressivo que só quando já tinha dezesseis anos a filha mais moça se lembrou de perguntar:

– Afinal, qual é o nosso parentesco com o tio Paulito?

– Ora, minha filha – respondeu a mãe – ele é meu irmão! Vocês não sabiam?

Nenhum dos filhos sabia. O fato é que o tio Paulito não tinha nenhum interesse para eles. Só aparecia na casa para almoçar. Não ia nas festas. No Natal e no Ano-Novo, desaparecia. No dia do aniversário de qualquer um dos sobrinhos, chegava para o almoço com um pacote extra de bala de coco. Uma vez, é verdade, ele surpreendera a todos contando uma anedota na mesa. Mas era uma anedota boba que todo mundo já conhecia, e ainda por cima ele contava mal à beça. Ninguém riu e o tio Paulito voltou ao seu silêncio. Não sabiam o que ele fazia ou onde ia depois do almoço. Era, enfim, como um móvel da sala de jantar que todos tinham se acostumado a ver ali diariamente e sobre cujo passado e futuro ninguém perguntava.

Até que um dia a filha mais moça, que tomara um súbito interesse por política, se declarara do PT e não faltava a conferência, simpósio ou manifestação, chegou em casa com a grande novidade.

– Vocês nem sabem!

– O quê, minha filha?

214

– Quem é que estava na conferência do Prestes.

– Quem?

– O tio Paulito!

– O quê?!

– E o Prestes foi falar com ele! Eu quase morri!

– O Luiz Carlos Prestes foi falar com o seu tio Paulito?

– Foi falar, só, não. Fez uma festa! Se abraçaram. Chamou o tio Paulito de "lutador". "Este aqui é um lutador."

– Não acredito !

A própria irmã do tio Paulito não acreditava. No dia seguinte, quando ele apareceu para almoçar, todos queriam saber. Mas como, Paulito? O Prestes?!

– É – disse ele, sorrindo. E, constatando, surpreso, que a resposta não satisfizera, repetiu: – Pois é.

– Conta, titio! Como é essa história?

– Não, não – disse ele. – O que é isso? História antiga.

E estendeu o prato para o bife à milanesa.

Durante o resto do almoço o tio Paulito foi o centro da admiração de todos. Especialmente da sobrinha mais moça, que mal conseguiu comer de tão emocionada. E passou o tempo todo olhando para aquele homem, ali, mastigando o seu bife. Não era mais o tio Paulito. Agora era um mistério na mesa.

Já o tio Dedé fazia questão de contar a sua vida, e a história que mais repetia era a do filme que fizera em Hollywood. Os mais velhos já estavam cansados de ouvir a história, mas sempre aparecia alguém novo para o tio Dedé impressionar.

– O senhor fez um filme em Hollywood, seu Dedé?

– Apareço numa cena.

– Que filme era?

– Você não deve ter visto. Não é do seu tempo. O nome em inglês era ailand ovilovi.

– Como é?

– Ailand ovilovi. Acho que nunca passou no Brasil.

– Com quem era?

– Dorothy Lamour. Não é do seu tempo.

– E como foi que o senhor entrou no filme?

– Eu fazia parte de um conjunto, "Los Tropicales". Tocava bongô e cantava. Isso foi lá por quarenta e poucos. Época da guerra. Mas o conjunto se desfez em Los Angeles porque a cantora, Lupe, uma cubana, descobriu que o marido dela, que tocava piston e se chamava, sabe como? Rafael Rafael. Assim mesmo, um nome duplo. Descobriu que o Rafael Rafael estava namorando uma pequena americana, aliás um pedaço...

E lá se ia o tio Dedé com a sua história, que mudava em alguns detalhes mas era sempre a mesma, mais ou menos elaborada de acordo com o grau de interesse de quem ouvia. Com "Los Tropicales" desfeito o tio Dedé precisara se virar em Los Angeles e acabara contratado como figurante num filme passado nos Mares do Sul mas todo filmado em Hollywood mesmo. A cena em que o tio Dedé aparecia, segundo ele, era forte. Era num bar em que a Dorothy Lamour cantava. Ela passava pela sua mesa, cantando, tirava o cigarro da sua boca e lhe dava um beijo. "Até ficamos amigos", contava o tio Dedé.

Um dia...

– Titio! O seu filme não se chama "Island of Love"?

– É esse mesmo.

– Vão passar hoje na televisão!

Grande sensação. A família toda se reuniu e convidou gente para ver "o filme do tio Dedé". Que estava estranhamente quieto quando se sentou na frente da TV. O filme começou, continuou e parecia estar terminando e nada de aparecer a cena do tio Dedé.

– Quando é, tio?

– Calma.

Mas o filme terminou e a cena não apareceu. Todos se viraram para o tio Dedé, numa interrogação muda. E então ele, depois de um instante de hesitação, pulou da cadeira e bradou aos céus, indignado:

– Cortaram! Cortaram!

FÉRIAS

– Praia! – gritou a filha.

– Serra! – gritou o filho.

– Quintal – sugeriu o pai, pensando na crise.

A mulher tinha um sonho: fazer um cruzeiro num transatlântico de luxo. Só uma vez na vida. Noites de luar no Caribe. Drinques coloridos à beira da piscina. Lugares exóticos com nomes românticos.

– Galápagos...

– Barbados...

– Falidos...

– Fal... Como, Falidos?

– É o que nós ficaríamos depois de uma viagem destas. Você sabe quanto custa?

– Você só pensa em dinheiro.

– Dinheiro, não. Cruzeiros.

– Praia, pai!

– Serra!

– Praia!

Chegaram a um acordo. Praia e serra. Uma semana de cada uma. O cruzeiro no Caribe aguardaria a improvável circunstância do papai morrer e a mamãe casar com o Chiquinho Scarpa. Tinham ouvido falar de um hotel novo numa praia ainda não desenvolvida. Preços promocionais. E a distância, segundo o pai, que calculou as probabilidades de irem e voltarem de carro sem os combustíveis aumentarem no meio do caminho, era razoável. Para a praia, portanto. Uma semana!

– Está tudo no carro?

– Está, Vilson, entra.

– Pomada contra queimadura?

– Está.

– Repelente contra inseto?

– Está.

– Quinino? Tabletes de sal? Ataduras? Rádio, para mantermos contato com a civilização?

– Vamos lá, pai!

– Antibióticos? Lança-chamas, contra um possível ataque de formigas gigantes?

– Está tudo no carro, Vilson. Deixa de bobagem e entra.

– Arrá. Não _está_ tudo no carro.

Faltava a Agatha Christie. O pai voltou correndo para buscar a Agatha Christie. Cinco livros. Pelos seus cálculos, eles o manteriam longe do sol, da areia e da água fria por toda a semana.

– Você vai para a praia nua?

– Eu não estou nua, pai. Estou de biquíni.

– Vou ter que aceitar sua palavra...

– Garçom, sal.

– Ahn?

– Sal. Aquela coisa branca que parece açúcar.

– Ah.

– Não é possível. Ele não sabe o que é sal.

– Calma, Vilson. O hotel é novo. Ouvi dizer que eles estão aproveitando gente do local.

– Mas o sal já deve ter chegado aqui. Já tem antena parabólica, e sal refinado é bem mais antigo.

– Ele só não ouviu o que você disse, Vilson. Olha, aí vem ele.

– Ah!, aí está. Obrigado.

– Obrigado, moço.

– Eu sabia...

– O quê?

– Ele trouxe açúcar.

– Sabe que você, desse jeito, está muito, mas muito apetitosa.

– Ai!

– Que foi?

– Não me toca aí.

– Por quê?

– Queimadura. É por isso que eu vou dormir sem roupa.

– Eu não falei? Você devia fazer como eu. Eu nunca me queimo.

– Claro que não se queima. Passa o dia inteiro dentro do hotel, lendo a Agatha Christie.

– Quando o tal general me deixa. Ó, velho chato. Só fala em doença. Sabe que eu já sei mais sobre a vesícula dele do que sobre a minha? E isso que eu convivo com a minha há anos. Vem cá, vem.

– Ai! Aí também não pode tocar. Aqui. Aqui pode.

– Aí não me interessa.

– Meu filho, eu quero que você pense numa coisa. Você sabe o que pode acontecer se você continuar indo tão longe no mar? Sabe?

– Sei, pai. Posso morrer afogado.

– Não é só isso, meu filho. Se você morrer afogado nós vamos ter que interromper o veraneio. E o hotel está pago até o fim da semana!

– Eu pedi peixe.

– O senhor pediu peixe.

– Exato. E isto não é peixe.

– É, sim senhor.

– Não, meu amigo. Isto é carne.

– É peixe.

– É carne.

– Pai...

– O quê?

– Pode ser peixe-boi.

– Vilson! Você levantou a mão pro menino!

– Desculpe. É que eu dormi mal esta noite. Os mosquitos. E sonhei com a vesícula do general. Desculpe, meu filho.

– O senhor quer trocar de prato?

– Não, não. Isto está ótimo. Bife com molho de camarão. A gente deve experimentar tudo na vida. Traga o sal, por favor.

– Ahn?

– Esquece.

– Veja que coisa fascinante é o ciclo da vida. Os mosquitos nos comem, as lagartixas comem os mosquitos, e tenho certeza que cedo ou tarde servirão essa lagartixa no restaurante do hotel. Sem sal. O ciclo se completa. A vida segue o seu curso. É bonito isso. Chega pra cá.

– Não. Eu ainda estou queimada.

– Então você, Agatha. Venha você. Assim. Oh, sim. Deixa eu abrir as suas páginas, deixa eu acariciar, lentamente, a sua lombada. Mmmm...

– Vilson...

– O quê?

– É você fazendo cócegas no meu pé?

– Eu não sonharia em tocar em você, querida.

– AKH! É a lagartixa!

– Sabe, general, eu sempre achei que, se houver inferno, ele é um hotel de praia num dia de chuva.

– Como?

– O inferno. Deve ser um hotel de praia em dia de chuva.

– Isso é porque você não sofre da vesícula.

– Eu ainda mato o general.

– Herodes foi um grande injustiçado da história. Devia-se fazer uma campanha para reabilitá-lo. Limpar o seu nome.

– Vilson, tenha paciência. Com essa chuva as crianças têm que ficar dentro do hotel. Onde é que você vai?

– Me lembrei que estou aqui há cinco dias e ainda não fui à praia.

– Mas está chovendo!

– Certo. Se começar a parar eu volto correndo.

– Bingo!

– Papai! Você completou o cartão!

– Grande, pai!

– Qualquer jogo que requeira capacidade intelectual é comigo mesmo. Desafio qualquer um neste hotel para um burro-em-pé até a morte.

– Querido...

– Hum?

– Larga a Agatha.

– Você não está mais queimada?

– Estou, mas não me importo.

– Já vi tudo. É porque eu ganhei no bingo. Há algo num vencedor que atrai as mulheres. Um certo magnetismo a ni...

– Vilson...

– O quê?

– Cala a boca.

– Está tudo no carro?

– Está, Vilson. Entra.

– A prancha? As conchas? Tudo?

– Tudo, Vilson.

– A lagartixa?

– Vamos embora, pai!

– Ah, a serra! Vejam que beleza. Vocês acordarão cedo todas as manhãs e farão grandes caminhadas e depois me contarão como foi, se conseguirem me acordar. Encheremos os pulmões de ar puro e ainda levaremos um pouco para casa, dentro de isopores. Este hotel me parece bom.

– Por que você escolheu logo esse?

– Gostei do nome. "Falso Bávaro". Pelo menos parece honesto.

– Vamos passear no mato. Vamos passear no mato!

– Pensei que você fosse passar os dias no hotel, lendo.

– Vocês não vão acreditar.

– O quê?

– O general também está aqui! Vamos passear no mato.

FESTA DE CRIANÇA

Você reconhece quem teve uma festa de criança em casa no dia anterior. Alguma coisa no rosto. A expressão de quem chegou à terrível conclusão de que Herodes talvez tivesse razão.

– Que respiração ofegante o senhor tem!

– Foi de tanto encher balão.

– Que dificuldade o senhor tem para caminhar!

– Foi de tanto levar canelada tentando apartar briga.

– Como as suas mãos estão trêmulas!

– Foi de tanto me controlar para não esgoelar ninguém!

Respeito e consideração para quem teve uma festa de criança em casa no dia anterior.

O pai e a mãe estão atirados num sofá, um para cada lado. Semiconscientes. Já é noite, mas a festa ainda não acabou. Sobram três crianças que não param de correr pela casa.

– Tenho uma idéia – diz o pai.

– Qual é?

– Vamos mandar eles brincarem no meio da rua. Esta hora tem bastante movimento.

– Não seja malvado. Daqui a pouco eles vão embora.

– Quando? Essas três foram as primeiras a chegar. Acho que os pais deixaram elas aqui e fugiram para o exterior.

Uma menina cruza a sala na corrida. Quando chegou, tinha o vestido mais engomado da festa. Depois de três banhos de guaraná e uma batalha de brigadeiros, parece uma veterana das trincheiras.

– Essa aí é a pior – diz o pai, num sussurro dramático. – Essa baixinha! É um terror!

– Coitadinha. É a Cândida.

– Cândida?! É uma terrorista!

– Sshhh.

– De onde é que saiu essa figura?

– É uma colega do Paulinho.

– E aquele ranhento que não pára de comer?

– É o Chico. Também é colega.

– Será que não alimentam ele em casa? E o outro, o que está pulando de cima da mesa?

– É o Paulinho! Você não reconhece o seu próprio filho?

– Ele está coberto de chocolate.

– É que ele teve uma luta de brigadeiros com a Cândida...

– E perdeu, claro. A Cândida é imbatível. Guerra de brigadeiros, jiu-jitsu, vôlei com balão, hipismo com cachorro. Ela foi a única que conseguiu montar no Atlas.

– Por falar nisso, onde é que anda o Atlas?

– Fugiu de casa, lógico. Era o que eu devia ter feito.

– Ora, é só uma vez por ano...

– Você precisava me lembrar? Pensar que daqui a um ano tem outra...

– Você não pode falar. Você também gosta de fazer festa no seu aniversário.

– Mas nós somos finos. Nenhuma festa teve guerra de chocolate. Nos embebedamos como pessoas civilizadas.

– Ah, é? E o anão com o trombone?

– Essa história você inventou. Não havia nenhum anão com um trombone.

– Ah, não? A Araci é que sabe dessa história. Só que ela foi embora no mesmo dia.

O Chico se aproxima.

– Tem mais cachorro quente?

– Não, meu filho. Acabou.

– Brigadeiro?

– Também acabou, Chico.

– Dá uma lambida na cabeça do Paulinho – sugere o pai, sob um olhar de reprimenda da mãe.

– Puxa, não tem mais nada? – diz o Chico. E se afasta, desconsolado.

– E ainda reclama, o filho da mãe!

– Shhh.

– Bom, você eu não sei, mas eu...

– Você o quê?

– Vou tomar meu banho, se é que ainda tenho forças para ligar um chuveiro, e ver televisão na cama.

– E quando chegarem os pais?

– Que pais?

– Os pais da Cândida e dos outros, ora.

– O que é que eu tenho com eles?

– Quando eles chegarem, você tem que receber.

– Ah, não.

– Ah, sim!

– Mais essa?

Batem na porta. O pai vai abrir, esbravejando sem palavras. É um casal que se identifica como os pais da Cândida.

– Entrem, entrem.

– Nós só viemos buscar a...

– Não, entrem. A Cândida não vai querer sair agora. Ela é um encanto. Meu bem, os pais da Cândida. Sentem, sentem.

O pai esfrega as mãos, subitamente reanimado.

– Quem sabe uma cervejinha? Querida, vá buscar.

Como a Araci se foi, a própria mãe – que se ocupou com a festa desde de manhã cedo, que mal se agüenta em pé, que podia matar o marido – vai buscar a cerveja. Pisando nos embrulhos de doces, nos copos de papelão e nos balões estourados que cobrem o chão e que ela mesma terá que limpar no dia seguinte. Respeito e comiseração para as mães que tiveram festa de criança em casa, no dia seguinte.

Enquanto isto o pai acaba de abrir a porta para os pais do Chico e os manda entrar, entusiasmado com a idéia de começar sua própria festa.

– Querida, mais cerveja!

Temporal na Duque

Foi por acaso que a reunião do grupo esotérico do doutor Arcanjo, a festa à fantasia das gêmeas Teresa e Rita, que deviam o nome às santas, e o temporal aconteceram ao mesmo tempo. Se não foi acaso foi outra coisa que o Autor não quer nem contemplar, sob pena de ser acusado de parábola. O Autor, quarenta e poucos anos, cético apenas em autodefesa, sabe que existe uma lógica obscura que rege nossos destinos mas prefere não se envolver. Fará intervenções a intervalos para comentar a ação, o que é seu direito, mas promete não forçar qualquer interpretação do texto à luz de dogma ou ironia. O que segue é pura invenção. Só o temporal realmente aconteceu. E a casa está lá, claro, ou o que sobrou dela, na rua Duque, e dizem que à noite o fantasma de um grande coelho chamuscado passeia pelos seus salões vazios. Mas me adianto. A viúva do doutor Arcanjo também vive e dizem que mantém contatos constantes com a alma do marido, que só arqueja do além: "Reclusão, reclusão... Me deixa". Dizem também que a viúva hoje namora um dos bolivianos da PUC. Mas me adianto.

As gêmeas decidiram fazer uma festa à fantasia, e todos deviam vir fantasiados de animais. O doutor Arcanjo, que há anos desistira de ouvir a conversa das filhas na hora do jantar, emergiu do seu claustro interior apenas o suficiente para descobrir, através do bafo da sopa, que alguma coisa aconteceria no casarão na noite daquela sexta-feira. Uma festa? Mas ele proibira todas as festas no casarão depois da última, em que a Brigada tivera que usar cachorros para dominar os convidados. O doutor Arcanjo precisara invocar todo o prestígio acumulado pela família durante gerações

– e até o nome do patriarca, o Comendador Dionísio, chamado a Raposa da Cúria devido à sua atividade de anos nos bastidores da Igreja – para que a notícia não saísse nos jornais e ninguém fosse preso, nem o moço que mergulhara de cabeça num vitral de cem anos do casarão, gritando "Piscina!" Não podia haver outra festa, nunca. Mesmo porque sexta-feira era o dia da reunião do seu grupo esotérico.

Mas as gêmeas Teresa e Rita, que deviam o nome às santas, também não ouviam mais o que o pai dizia. Continuaram a planejar a festa, alegremente, e Rita ficou tão excitada que teve um dos seus ataques e foi levada para o quarto. O doutor Arcanjo apelou para a mulher, mas a mulher disse que as meninas precisavam da sua vida social e tinham que fazer festa em casa porque eram muito feias e ninguém as convidava para lugar nenhum.

– Mas eu proibi. Eu proibi para sempre! – disse o doutor Arcanjo.

– Ora, Francisco. Isso foi no mês passado.

– Aposto que vem uma porção de veados! – gritou Teresa.

Dos doze filhos do casal só estavam as meninas em casa.

Sexta-feira foi um dia quente e ao entardecer nuvens grossas e negras tapavam o sol e avançavam sobre Porto Alegre como as hordas de Saladino sobre a Jerusalém dos cruzados. Se tivesse dado atenção aos presságios – um Puma que se incendiou sozinho em frente à casa, uma lagartixa que cruzou o pátio interno e deixou um rastro luminoso nos ladrilhos – o doutor Arcanjo teria adiado a reunião do seu grupo esotérico. Mas aquela seria a reunião mais importante de todas. A da proclamação do Evangelho de Jesus Oculto, de sua autoria, a escolha dos Quatro Pilares da Igreja Secreta, a leitura do Decálogo das Catacumbas e, depois do chá, a ordenação dos Novos Cavalheiros do Santo Sepulcro, Região Sul. A reunião começou às oito horas como estava marcado.

O general e o doutor Costa chegaram juntos. Depois chegaram os outros, um a um. Eram recebidos na porta pela mulher do doutor Arcanjo, de vestido longo, e levados até o escritório. O penúltimo a chegar foi o professor Orvelho, todo de preto, e sua figura foi recortada na porta pelo primeiro relâmpago da noite. O último a chegar, o comendador Betin, chegou junto com um coelho, o primeiro convidado da festa das gemeas. A festa dos animais seria no porão. Serviriam um strogonoff, depois premiariam a melhor fantasia, depois dançariam.

– Estão todos aqui? – perguntou o doutor Arcanjo.

Do grupo original de dezoito tinham sobrado dez. Os outros não concordavam com a doutrinação do doutor Arcanjo. Era preciso resistir, sim, mas não àquele ponto. A Velha Igreja, que sobrevivera a tanta coisa, sobreviveria também ao veneno marxista e ao novo barbarismo. Quando as reuniões das sextas no escritório do doutor Arcanjo tinham passado da discussão de artigos restritos da fé para a idéia das novas catacumbas, alguns tinham protestado pela heresia e desistido, outros tinham simplesmente deixado de aparecer. Os dez que sobraram iriam até o fim. Estavam todos ali. Só o doutor Costa tinha dúvidas. Estava mais pálido que de costume e seu lábio inferior tremia. Na noite anterior sonhara que sua mãe fora engolida por uma serpente com a sua cara. Era um sinal contra a apostasia, ele sabia.

– Passemos à leitura do Evangelho do Jesus Oculto – disse o doutor Arcanjo.

Começou a chuva. Do saguão de entrada do casarão veio um trinar de risadas femininas. Chegara um grupo de corças. O doutor Costa pulou da poltrona nervosamente e suas mãos muito brancas se fecharam em volta da haste do crucifixo sobre a pesada mesa de pés torneados.

– O que é, Costa? – perguntou o general.

– *"Axis Mundi"* – disse o doutor Costa, de olhos fechados. Suava muito. – Tudo bem.

O doutor Arcanjo começou a ler.

– "Dos sete aos vinte e sete anos errou Jesus pela Galiléia em segredo, ou não errou. Os quatro evangelhos silenciam a respeito. Vinte anos de silêncio."

O clarão de um relâmpago iluminou a vidraça do escritório, que dava para o pátio interno. Segundos depois um estrondo sacudiu a cidade e o casarão. "Misericórdia" sussurrou o doutor Costa, agarrado ao crucifixo. *"Miserere nobis..."*

– "Ele pregou, ou não pregou" – continuou o doutor Arcanjo. – "Fez milagres, ou não fez. Semeou as Primeiras Verdades e
as sementes se perderam no silêncio dos evangelhos. Ou não se
perderam..."

Durante a leitura ouviu-se o ruído dos convidados que che-
gavam para a festa do porão, dos grossos pingos de chuva que se
esborrachavam contra a vidraça, e das trovoadas. Não havia lugar
para todos nas velhas poltronas de couro do escritório. Cinco estavam de pé. Todas as cadeiras do casarão tinham sido levadas para
o porão. O professor Orvelho, de braços cruzados, as costas contra
uma parede e a cabeça atirada para trás, parecia ouvir música.
Desde o seminário só se vestia de preto. O doutor Arcanjo chegava
ao fim da sua leitura.

– "Cristo da Reclusão. Cristo da Família. Cristo dos Poucos.
Tuas Primeiras Verdades não estão nas escrituras, estão no Silêncio das escrituras. E Teu Silêncio foi ouvido."

Começaram a música no porão. Led Zeppellin.

– "Cristo dos Eleitos, Menino e Cordeiro, somos os apóstolos
do Teu Silêncio. Como os mártires nas catacumbas, somos as tes-
temunhas do Segredo."

Sem largar o crucifixo o doutor Costa caminhou até a vidraça.
Pela luz roxa de um relâmpago viu o corpo de um rato flutuando
na água da chuva que já encobria os ladrilhos do pátio intemo. As
vísceras do rato estavam à mostra e o sangue que escorria da feri-
da formava uma palavra em grego. O doutor Costa tremia e pensava na Retribuição e na Besta:

– "Negamos o Cristo Batizado, o Cristo de Todo Mundo, o
Cristo dos Escravos, o Cristo Social!"

– Não... – balbuciou o doutor Costa. Mesmo sem a trovoada
ele não seria ouvido.

– "Na iminência do Anti-Cristo, redimimos o Jesus Oculto."

– Amém! – entoou o professor Orvelho, fora de hora.

– "Negamos a Epifania e a Revelação às massas."

– Não! – disse o doutor Costa, mais alto.

A porta do escritório se abriu e um leão espiou para dentro.

– É aqui o banheiro? – perguntou o leão.

Mas todos os olhos estavam no doutor Costa, que deixara cair
o crucifixo. Nesse momento houve um relampago maior que os

outros, um estouro, e todas as luzes do casarão se apagaram.

– Vou pegar velas – disse o doutor Arcanjo, e saiu tateando até a porta, onde esbarrou com o leão e ambos fizeram uma pequena dança de cegos.

O professor Orvelho tomou a palavra na escuridão. Sua voz era profunda, como se saísse de um poço. Ouvia-se gritos e risadas do porão. Alguém gritou: "Olha o pó!"

– Nos vinte anos do Anti-Cristo que se aproximam, seremos as sentinelas do Sepulcro – disse o professor Orvelho. – Desceremos de novo ao abismo com o Corpo Místico. Nos três dias do Sepulcro o Cristo dilacerado retomou Seus laços subterrâneos. Desceu ao inferno, livre, pelas cinco chagas do Seu martírio, dos cinco sentidos que martirizam a carne. Resgatou Adão da Queda e todos os profetas das mandíbulas da Besta. Ah, corpo, corpo, corpo...

O professor Orvelho batia no peito.

– Corpo indigno, carne pútrida...

Os relâmpagos iluminavam seus cabelos brancos em desalinho. O general se erguera e chamava: "Costa... Costa..." O doutor Arcanjo voltou com um candelabro para quatro velas onde só havia uma. "Levaram as velas para o porão", explicou.

– *"Lumen Christi!"* – exclamou Costa.

– Calma, Costa – disse o general, que não conseguia enxergá-lo. – Onde é que você está?

Ouviam-se palmas vindas do porão. Começara o concurso das fantasias à luz de velas.

Passemos à escolha dos Quatro Pilares da Igreja Secreta disse o doutor Arcanjo.

– Apóstatas! – gritou o doutor Costa. – Parem!

No porão um filho do professor Orvelho desfilava só de biquíni e o corpo pintado com manchas coloridas. Sua fantasia era de Oncinha Punk. Pela luz dos relâmpagos o doutor Arcanjo viu, através da porta aberta, na escada, sua filha Rita, que devia o nome à santa, sendo carregada para o quarto pela mãe, de longuinho, e um coelho.

– Costa... – disse o general.

Mas o doutor Costa estava saindo pela porta.

– Assim não dá... – disse o doutor Arcanjo. – Betin, leva a vela e traz o Costa de volta.

O comendador saiu com o candelabro de uma vela mas foi cercado no saguão por um grupo de gatas. O professor Orvelho correu em seu socorro. As gatas queriam a vela para chegarem à cozinha. Com socos e empurrões o professor salvou Betin e recuou, com ele e a vela, para dentro do escritório.

– Tranca a porta! – gritou o doutor Lorange, latifundiário e matemático.

– O Costa ficou lá fora! – gritou o general.

As gatas batiam na porta fechada. Súbito, uma batida mais forte e uma voz de homem:

– Quem é que está aí dentro?

Todos se entreolharam. A chuva aumentara. O doutor Arcanjo gritou:

– Francisco Arcanjo, o dono desta casa!

– Foi tu que bateu na minha guria?

– Aqui ninguém bateu em ninguém.

– Ah, bateu. Bateu e vai levá.

– Me respeite! – gritou o doutor Arcanjo.

– Respeito a puta que te pariu! – disse o homem, e deu um chute na porta.

A porta era maciça, de cem anos, e não cedeu.

– Abre essa porra! – gritou o homem.

– Tem uma janela que dá para o pátio interno – disse uma voz feminina. O doutor Arcanjo reconheceu a voz de sua filha Teresa, que devia o nome à santa e se fantasiara de galinha.

Todos os olhos dentro do escritório viraram para a vidraça. Dali a pouco, iluminado pelos relâmpagos, o pátio interno se encheu de animais. Gatas, o leão, uma girafa, corças, um alce com chifres feitos de cabides, uma galinha excitadíssima. A chuva destruía as fantasias. Os animais gritavam. Um burro de repente se partiu ao meio e de sua barriga saiu uma cabeça humana. O doutor Arcanjo subiu na pesada mesa de pés torneados.

– Não temos muito tempo! – gritou. – Nomearei os Quatro Pilares da Igreja Secreta, os Quatro Evangelistas da Reconquista, os Quatro Cardeais da Resistência, os Três Arcanjos além de mim!

Os animais batiam na vidraça. Seu líder furioso era o alce com chifres feitos de cabide, filho do desembargador L., formado em artes marciais com especialização em cabeçadas.

– Lorange! – gritou o doutor Arcanjo.

O leão fazia caretas contra a vidraça. O alce batia com os punhos no vidro. A galinha pulava na chuva. Um burro com corpo de gente tirava as calças e mostrava a bunda.

– Orvelho!

– Presente!

– Tu és o Leste. És Efeso e Smirna. És as sete igrejas da Ásia e o túmulo dos santos martirizados.

O professor Orvelho abriu os braços, olhou para o teto e gritou:

– Adonai!

O alce quebrou a vidraça com uma chifrada. Relampejava sem parar.

– Costa! – gritou o doutor Arcanjo.

– Ele saiu! Ele está lá fora! – gritou o general, apontando para a porta.

Os animais invadiam o escritório junto com a chuva.

– As hordas! As hordas! – berrava alguém.

O doutor Arcanjo foi derrubado de cima da pesada mesa de pés torneados, bateu com a cabeça numa estátua de mármore de Adonis e morreu. A única vela do candelabro de quatro velas rolou pelo chão e se apagou. O professor Orvelho, armado com um volume encadernado da vida de São João da Cruz, distribuía golpes no escuro e gritava "Latinidade! Latinidade!" Sua tese era de que a glória da Igreja coincidira com o apogeu da civilização latina e que sua expansão entre os bárbaros levara à Reforma, a Don Hélder Câmara e ao vibrador com pilha. No andar de cima a mulher do doutor Arcanjo desistia de resistir ao coelho, que começava a levantar o seu longo vestido com as patas macias.

O doutor Costa chegara ao porão e andava, com as mãos postas, no meio da fumaça, das velas e da maconha. No lusco-fusco avistou a Besta, que tinha duas costas, uma cabeça de porco e outra de macaco, quatro pernas e quatro braços e copulava com ela mesmo entre restos de strogonoff. Ninguém sabe se esbarrou numa vela, de pavor, ou se a chutou, de propósito. O cenário de selva feito de papel pelas gêmeas Teresa e Rita, que deviam o nome às santas, pegou fogo. Em pouco tempo as labaredas subiam pelas paredes.

Queimou só um lado do casarão. A chuva preservou o resto. A mulher do doutor Arcanjo e sua filha Rita, que devia o nome à santa, escaparam mas o coelho se atrapalhou com a fantasia e morreu queimado. Era uma moça, Dalinda, conhecida no grupo como "Pé 40". Todos os outros chegaram à rua Duque e, num sentido amplo, à salvação. O filho mais velho do doutor Arcanjo, um juiz, invocou o nome do patriarca, Comendador Dionísio, os cem anos de prestígio da família e o nome e as obras benemerentes do pai para que não saísse nada nos jornais. O grupo esotérico continua se reunindo, sob a direção do professor Orvelho, em algum lugar da cidade. O doutor Costa, purgado pelo fogo, aceitou ser o pilar do Sul, Jerusalém, as cavernas da Acéldama, os labirintos do Templo.

A Decadência do Ocidente

O doutor ganhou uma galinha viva e chegou em casa com ela, para alegria de toda a família. O filho mais moço, inclusive, nunca tinha visto uma galinha viva de perto. Já tinha até um nome para ela – Margarete – e planos para adotá-la, quando ouviu do pai que a galinha seria, obviamente, comida.

– Comida?!

– Sim, senhor.

– Mas se come ela?

– Ué. Você está cansado de comer galinha.

– Mas a galinha que a gente come é igual a esta aqui?

– Claro.

Na verdade o guri gostava muito de peito, de coxa e de asa, mas nunca tinha ligado as partes ao animal. Ainda mais aquele animal vivo ali no meio do apartamento.

O doutor disse que queria a galinha ao molho pardo. Há anos que não comia uma galinha ao molho pardo. A empregada sabia como se preparava galinha ao molho pardo? A mulher foi consultar a empregada. Dali a pouco o doutor ouviu um grito de horror vindo da cozinha. Depois veio a mulher dizer que ele esquecesse a galinha ao molho pardo.

– A empregada não sabe fazer?

– Não só não sabe fazer, como quase desmaiou quando eu disse que precisava cortar o pescoço da galinha. Nunca cortou um pescoço de galinha.

Era o cúmulo. Então a mulher que cortasse o pescoço da galinha.

– Eu?! Não mesmo!

O doutor lembrou-se de uma velha empregada da sua mãe. A dona Noca. Não só cortava pescoços de galinhas, como fazia isto com uma certa alegria assassina. A solução era a dona Noca.

– A dona Noca já morreu – disse a mulher.

– O quê?!

– Há dez anos.

– Não é possível! A última galinha ao molho pardo que eu comi foi feita por ela.

– Então faz mais de dez anos que você não come galinha ao molho pardo.

Alguém no edifício se disporia a degolar a galinha. Fizeram uma rápida enquete entre os vizinhos. Ninguém se animava a cortar o pescoço da galinha. Nem o Rogerinho do 701, que fazia coisas inomináveis com gatos.

– Somos uma civilização de frouxos! – sentenciou o doutor.

Foi para o poço do edifício e repetiu:

– Frouxos! Perdemos o contato com o barro da vida!

E a Margarete só olhando.

ANGÉLICA

Ela é moça, branca, jeito simples.
– É aqui que estão precisando de uma empregada?
– É sim. Mas você...
– Quero o emprego, sim, senhora.
Marina fica desconfiada.
– Você é cozinheira?
– De forno e fogão. O trivial e o requintado. Salgados, doces especialidades. É só pedir.
– Bom, mas...
– Também limpo a casa, passo roupa, faço compras. É só pedir.
– Dorme no emprego?
– Se a senhora quiser.
Marina hesita. A moça abre a bolsa simples e tira uns papéis. Oferece para Marina.
– Minhas referências.
– Ora, não precisa – diz Marina, pegando as referências e examinando-as atentamente. São ótimas.
– São ótimas.
– Sim, senhora.
– Quando é que você quer começar?
– Não é melhor acertar o salário, primeiro?
– É verdade – diz Marina, desanimando. Pensando: na certa vai pedir uma fortuna.
– Quanto é que você quer ganhar?
– Duzentos cruzeiros.
– Por dia?!

– Por mês.

– Por mês?! Mas é muito pouco.

– Se a senhora não aceitar...

– Aceito. Aceito! Como é o seu nome?

– Angélica – responde a moça, angelicamente.

Quando Manoel chega em casa dá com Angélica ao lado da porta.

– O seu casaco?

Ela ajuda Manoel a tirar o casaco. Manoel se deixa ajudar, apalermado.

– O senhor costuma tomar alguma coisa antes do jantar? Um uísque?

– Um uísque está perfeito.

– Quer tirar os sapatos e trocar por chinelos?

– Ahn... Quero.

– E o seu cachimbo. Agora ou depois do jantar?

Manoel está de boca aberta. Leva alguns minutos para se recuperar e responder:

– Depois, depois.

– Vai tomar banho agora ou antes de dormir?

Manoel faz um gesto instintivo como que para proteger sua nudez.

– Por quê?

– Conforme for eu já preparo o seu banho.

– Tomo banho antes de dormir obrigado. Escute. Você é...

– Sua nova empregada. Angélica.

– Ela caiu do céu! – sussurra Marina, na mesa do jantar.

– Que jantar. Que jantar! – exclama Manoel, entusiasmado. – Quanto é que nós estamos pagando por esse anjo?

– Você não vai acreditar. Duzentos.

– Por dia?!

– Por mês!

Angélica entra da cozinha, trazendo a sobremesa.

– Mmmm – faz Manoel, olhando a sobremesa.

– Mmmmmmmm – faz Marina.

– Já sei – diz Marina, mais tarde, na sala. – Ela é ladra.

– Com essa cara? Não pode ser.

– A verdade é que as referências são ótimas.

– Do jeito que ela cozinha, pode roubar-nos à vontade. Só sai daqui por cima do meu cadáver. E vai ser um cadáver gordo. – Manoel apalpa a própria barriga com satisfação.

Os dois vão dar uma espiada no quarto de Angélica. Encontram a moça cerzindo meia.

– Olha, se você quiser sair, dar umas voltas, tudo bem.

– Não, senhora. Prefiro ficar em casa. Não sou muito de sair.

– Se quiser ver televisão conosco...

– Não, senhor. Não gosto de televisão. Obrigada.

– O que é que você gosta de fazer? Como passatempo?

– Bom, gosto de jogar damas...

Marina e Manoel se entreolham, enternecidos. Damas. Ela é mesmo um anjo.

Manoel e Angélica jogam damas enquanto Marina olha televisão. Angélica se oferece para trazer café, chá, quem sabe uns bolinhos, mas os dois não aceitam.

– Descanse, menina – diz Manoel. – Você agora faz parte da família. É a sua vez de jogar.

– O senhor não gosta de jogar a dinheiro, Seu Manoel?

– Damas a dinheiro? Nunca joguei.

– Fica muito mais divertido.

– E como é que se joga damas a dinheiro?

– Mil por partida, mais 500 por diferença de pedra, dinheiro na mesa, empate dobra a parada.

Um mês depois. Marina e Manoel sussurram na mesa. Acabaram de comer outro jantar maravilhoso mas não estão maravilhados. Marina pergunta:

– Quanto é que você já deve a ela?

– Dezesseis mil. Nunca vi ninguém jogar damas como ela. Não perde nunca!

– Dezesseis mil?!

– Shhhh...

Angélica entra da cozinha com uma sobremesa monumental. Mesmo contra a vontade, Manoel não pode deixar de salivar.

– Não esqueça o nosso joguinho de hoje à noite, seu Manoel – diz Angélica alegremente.

– Não esqueço não – diz Manoel. E quando Angélica volta para a cozinha: – Hoje eu ganho. Hoje eu recupero tudo. Ela vai ver.

Mas Angélica ganha outra vez. E não aceita cheque.

A Espada

Uma família de classe média alta. Pai, mulher, um filho de sete anos. É a noite do dia em que o filho fez sete anos. A mãe recolhe os detritos da festa. O pai ajuda o filho a guardar os presentes que ganhou dos amigos. Nota que o filho está quieto e sério, mas pensa: "É o cansaço". Afinal ele passou o dia correndo de um lado para o outro, comendo cachorro-quente e sorvete, brincando com os convidados por dentro e por fora da casa. Tem que estar cansado.

– Quanto presente, hein, filho?

– É.

– E esta espada. Mas que beleza. Esta eu não tinha visto.

– Pai...

– E como pesa! Parece uma espada de verdade. É de metal mesmo. Quem foi que deu?

– Era sobre isso que eu queria falar com você.

O pai estranha a seriedade do filho. Nunca o viu assim. Nunca viu nenhum garoto de sete anos sério assim. Solene assim. Coisa estranha... O filho tira a espada da mão do pai. Diz:

– Pai, eu sou Thunder Boy.

– Thunder Boy?

– Garoto Trovão.

– Muito bem, meu filho. Agora vamos pra cama.

– Espere. Esta espada. Estava escrito. Eu a receberia quando fizesse sete anos.

O pai se controla para não rir. Pelo menos a leitura de história em quadrinhos está ajudando a gramática do guri. "Eu a receberia..." O guri continua.

– Hoje ela veio. É um sinal. Devo assumir meu destino. A espada passa a um novo Thunder Boy a cada geração. Tem sido assim desde que ela caiu do céu, no vale sagrado de Bem Tael, há sete mil anos, e foi empunhada por Ramil, o primeiro Garoto Trovão.

O pai está impressionado. Não reconhece a voz do filho. E a gravidade do seu olhar. Está decidido. Vai cortar as histórias em quadrinhos por uns tempos.

– Certo, filho. Mas agora vamos...

– Vou ter que sair de casa. Quero que você explique à mamãe. Vai ser duro para ela. Conto com você para apoiá-la. Diga que estava escrito. Era o meu destino.

– Nós nunca mais vamos ver você? – pergunta o pai, resolvendo entrar no jogo do filho enquanto o encaminha, sutilmente, para a cama.

– Claro que sim. A espada do Thunder Boy está a serviço do bem e da justiça. Enquanto vocês forem pessoas boas e justas poderão contar com a minha ajuda.

– Ainda bem – diz o pai.

E não diz mais nada. Porque vê o filho dirigir-se para a janela do seu quarto, e erguer a espada como uma cruz, e gritar para os céus "Ramil!" E ouve um trovão que faz estremecer a casa. E vê a espada iluminar-se e ficar azul. E o seu filho também.

O pai encontra a mulher na sala. Ela diz:

– Viu só? Trovoada. Vá entender este tempo.

– Quem foi que deu a espada pra ele?

– Não foi você? Pensei que tivesse sido você.

– Tenho uma coisa pra te contar.

– O que é?

– Senta, primeiro.

CAIXINHAS

Ninguém jamais ficou sabendo o que, exatamente, o Ramão fez para a mulher, mas um dia ela começou a colecionar caixinhas. Nunca fora de colecionar nada e, de repente, começou a juntar caixas, caixetas, potezinhos, estojos. Em pouco tempo, tinha uma coleção considerável. O próprio Ramão se interessou. Dizia:

– Mostre a sua coleção de caixas, Santinha.

E a Santinha mostrava para as visitas a sua coleção de caixas.

– Que beleza!

As caixas, caixinhas, caixetas, potes, potezinhos, estojos, baús cobriam algumas mesas e várias estantes. Era realmente uma beleza. Mas, estranhamente, a Santinha era a que menos se entusiasmava com a própria coleção. Os outros a admiravam, ela não dizia nada. Ou então fornecia alguma informação lacônica.

– Essa é chinesa.

Ou:

– É pedra-sabão.

Ninguém mais tinha problemas sobre o que dar para a Santinha no seu aniversário ou no Natal. Caixas. E as amigas competiam, cada uma querendo descobrir uma caixa mais exótica para a coleção da Santinha. Uma caixinha tão pequeninha que só cabia uma ervilha. Um baú laqueado que, supostamente, pertencera ao Conde D'Eu. Etc, etc. O Ramão também contribuía. Quando saía em uma das suas viagens, nunca deixava de trazer uma caixinha para a Santinha. Que a Santinha aceitava, sem dizer uma palavra, e acrescentava à sua coleção. E a coleção já cobria a casa inteira.

Quando a polícia, alertada pelos vizinhos, entrou na casa, viu o sangue, viu a Santinha sentada numa cadeira, muda, folheando a *Amiga*, mas a princípio não viu o Ramão. Só o viu quando começou a abrir as caixinhas. Havia um pouco do Ramão em cada caixinha. Até na que só cabia uma ervilha tinha um ossinho. Um fêmur estava no baú do Conde. E a Jacira ficou escandalizada quando soube que a cabeça do Ramão foi encontrada numa caixa de chapéu antiga que ela tinha trazido para a Santinha de Paris. Veja só, de Paris!

Ninguém desculpou a Santinha, mas o consenso geral era de que alguma o Ramão tinha feito.

O MARAJÁ

A família toda ria de dona Morgadinha e dizia que ela estava sempre esperando a visita do Marajá de Jaipur. Dona Morgadinha não podia ver uma coisa fora do lugar, uma ponta de poeira em seus móveis ou uma mancha em seus vidros e cristais. Gemia baixinho quando alguém esquecia um sapato no corredor, uma toalha no quarto ou – ai, ai, ai – uma almofada torta no sofá da sala. Baixinha, resoluta, percorria a casa com uma flanela na mão, o olho vivo contra qualquer incursão do pó, da cinza, do inimigo nos seus domínios.

Dona Morgadinha era uma alma simples. Não lia jornal, não lia nada. Achava que jornal sujava os dedos e livro juntava mofo e bichos. O marido de dona Morgadinha, que ela amava com devoção apesar do seu hábito de limpar a orelha com uma tampa de caneta Bic, estabelecera um limite para sua compulsão de limpeza. Ela não podia entrar na sua biblioteca. Sua jurisdição acabava na porta. Ali dentro só ele podia limpar, e nunca limpava. E, nas raras vezes em que dona Morgadinha chegava na porta do escritório proibido para falar com o marido, este fazia questão de desafiá-la. Botava os pés em cima dos móveis. Atirava os sapatos longe. Uma vez chegara a tirar uma meia e jogar em cima da lampada só para ver a cara da mulher. Sacudia a ponta do charuto sobre um cinzeiro cheio e errava deliberadamente o alvo. Dona Morgadinha então fechava os olhos e, incapaz de se controlar, lustrava com a sua flanela o trinco da porta.

O marido de dona Morgadinha contava, entre divertido e horrorizado, da vez que levara a mulher a uma recepcão diplomática.

244

– Percorremos a fila de recepção, e quando vi a Morgadinha estava sendo apresentada ao embaixador. O embaixador se curvou, fez uma reverência, e de repente a Morgadinha levou a mão e tirou um fio de cabelo da lapela do embaixador!

– Não pude resistir – explicava dona Morgadinha, séria, entre as risadas dos outros.

– E ainda deu uma espanada, com a mão, no seu ombro.

– Caspa – suspirava dona Morgadinha, desiludida com o corpo diplomático.

Quis o destino que os filhos de dona Morgadinha puxassem pelo pai no relaxamento e na irreverência. Todos os três.

– Meu filho, aí não é lugar de deixar os livros da escola.

– *Qual é*, mãe? Está esperando o Marajá?

– Minha filha, a sala não é lugar de cortar as unhas.

– Ih, hoje é dia do Marajá chegar.

– Oscar, na mesa?!

– Quando o Marajá vier almoçar, eu prometo que não faço isto.

Certa manhã bateram à porta. Dona Morgadinha, que comandava a faxina diária da casa com severidade militar, fez sinal para as empregadas de que ela mesmo iria abrir. Na porta estava um homem moreno, de terno, gravata – e turbante! Dona Morgadinha, que uma vez brigara com o carteiro porque a sua calça estava sem friso, olhou o homem de alto a baixo e não encontrou o que dizer.

– Dona Morgadinha?

– Sim.

– Meu amo manda o seu cartão e pede permissão para vir visitá-la às cinco.

Dona Morgadinha olhou o cartão que o homem lhe entregara. Ali estava, com todas as letras douradas, "Marajá de Jaipur". Não conseguiu falar. Fez que sim com a cabeça, desconcertada. O homem fez uma mesura e desapareceu antes que dona Morgadinha recuperasse a fala.

As empregadas receberam ordens de recomeçar a faxina, do princípio. Dona Morgadinha anunciou para a família que naquele dia não haveria almoço. Não queria cheiro de comida na casa. E era bom todos saírem para a rua até a noite, para não haver perigo de deslocarem as almofadas. Pais e filhos se entreolharam e concordaram:

– O marajá vem hoje.

Dona Morgadinha apenas sorriu. E estava com o mesmo sorriso quando o marido e os filhos chegaram em casa à noite, depois de comerem um *cheeseburger* na esquina, fazendo bastante barulho e manchando a roupa. Dona Morgadinha não contou para ninguém da visita do Marajá. Do seu terno branco, do rubi no seu turbante, da sua barba grisalha e distinta. E da conversa que tinham tido, das cinco às sete, sozinhos, entre goles de chá e mordicadas em sanduíches de aspargo, sobre coisas distantes, sobre o linho e o mármore e a purificação dos espíritos. Naquela noite o marido de dona Morgadinha surpreendeu a mulher com o olhar perdido na frente do espelho. Ela estava tão distraída que foi para a cama sem escovar as unhas, usar o colírio e rearrumar os armários, como fazia sempre.

O Marajá combinou com dona Morgadinha que voltaria dois dias depois, à mesma hora. Estes dois dias dona Morgadinha passou sentada, sem notar nada, esquecida até da sua flanela. O filho mais velho chegou a trazer um vira-lata da rua para fazer xixi no pé da poltrona, mas não conseguiu despertar dona Morgadinha do seu devaneio.

Depois de duas semanas de visitas constantes do Marajá e do mais absoluto descaso de dona Morgadinha pela higiene da família e da casa, o marido resolveu que já era demais. Procurou o seu amigo Turcão, que era árabe e tinha cara de hindu e que ele contratara para se fingir de Marajá e fazer uma brincadeira com a mulher, e disse que era hora de acabar com a brincadeira. Turcão meio sem jeito, disse que com ele tudo bem, mas dona Morgadinha...

– O quê? – quis saber o marido, desconfiado.

– Ela levou a sério. Está falando até em fugir comigo e ir morar no meu palácio em Jaipur. Negócio chato. Acho melhor contar a verdade para ela e...

Mas o marido de dona Morgadinha percebeu o que fizera. E percebeu que com as almas simples não se brinca. Se descobrisse que fora enganada, dona Morgadinha era capaz de se matar, engolindo detergente. Não, não. Ela não merecia aquilo. Compungido, o marido pediu ao Turcão que continuasse a visitar à mulher. Mas tentasse desiludi-la. Dando um arroto. Sei lá.

RÁPIDO

Acho que era o Marcel Marceau que tinha uma pantomima em que ele representava a vida de um homem, do berço ao túmulo, em menos de 1 minuto. Shakespeare, claro, tem seu famoso solilóquio sobre as idades do homem que também é uma maravilha de sintetização poética. Nossas vidas, afinal, comparadas com a idade do Universo, se desenrolam em poucos segundos. Cabem numa página de diálogo.

– Quer dançar?

– Obrigada.

– Você vem aqui sempre?

– Venho.

– Vamos namorar firme?

– Bom... Você tem que falar com o papai...

– Já falei com seu pai. Agora é só marcar a data.

– 26 de julho?

– Certo.

– Não esqueça as alianças...

– Você me ama?

– Amo.

– Mesmo?

– Sim.

– Sim.

– Parece mentira. Estamos casados. Tudo está acontecendo tão rápido...

– Sabe o que foi que disse o noivo nervoso na noite de núpcias?

– O quê?

– Enfim, S. O. S.

– Você estava nervoso?

– Não. Foi bom?

– Mmmm. Sabe de uma coisa?

– O quê?

– Eu estou grávida.

– É um menino!

– A sua cara...

– Aonde é que você vai?

– Ele está chorando.

– Deixa... Vem cá.

– Meu bem...

– Hmm?

– Estou grávida de novo.

– É menina!

– O que é que você tem?

– Por quê?

– Parece distante, frio...

– Problemas no trabalho.

– Você tem outra!

– Que bobagem.

– É mesmo... Você me perdoa?

– Vem cá.

– Aqui não. Olha as crianças...

– O Júnior saiu com o carro. Ia pegar uma garota.

– Você já falou com ele sobre...

– Já. Ele sabe exatamente o que fazer.

– O quê? Você deu instruções?

– Na verdade ele já sabia melhor do que eu. Essa geração já nasce sabendo. Só precisei mostrar como se usa o macaco.

– O quê?!

– Ah, você quer dizer... Pensei que fosse o carro. E a Beti?

– Parece que é sério.

– Ela e o analista de sistemas?

– É. Aliás...

– Estão vivendo juntos. Eu sabia!

– Ela está indo para o hospital.

– Já?!

– São gêmeos!

– Sabe que você até que é uma avó bacana?

– Quem diria...

– Vem cá.

– Olha as crianças.

– Que crianças?

– Os gêmeos. A Beti deixou eles dormindo aqui.

– Ai.

– Que foi?

– Uma pontada no peito.

– Você tem que se cuidar. Está na idade perigosa.

– Já?!

– Sabe que a Beti está grávida de novo?

– Devem ser gêmeos outra vez. O cara trabalha com o sistema binário.

– Esse conjunto do Júnior precisa ensaiar aqui em casa? Que inferno.

– E o nome do conjunto? Terror e Êxtase.

– Vão acordar os gêmeos.

– Ai!

– Outra pontada?

– Deixa pra lá. Olha, essa música até que eu gosto. Não é um rock-balada?

– Não. Eles estão afinando os instrumentos.

– Quer dançar?

– Não! Você sabe o que aconteceu da última vez.

FESTA DE ANIVERSÁRIO

Os ingredientes são: uma porção de caos, duas de confusão e uma pobre mãe exausta – tudo misturado com um cão latindo e balões estourando.

Uma boa festa de aniversário deve ter no mínimo vinte crianças, sendo uma de colo, que chora o tempo todo, uma maior do que as outras, chamada Eurico, que bate nas menores e acabará mordida pelo cachorro, para a secreta satisfação de todos; e uma de rosto angelical, olhar límpido e vestido impecável, que conseguirá sentar em cima do bolo de chocolate. Esta deve se chamar Cândida.

Boa festa de aniversário é aquela em que, depois que todos foram embora, a mãe do aniversariante examina os destroços com o mesmo olhar que Napoleão lançou sobre os campos de Waterloo depois da batalha, e fica indecisa entre chorar, fugir de casa ou rolar pelo tapete dando gargalhadas histéricas. Desiste de rolar pelo tapete porque o tapete está coberto de restos de comida.

É indispensável que no fim da festa sobre uma criança que ninguém sabe como foi parar embaixo do sofá.

– Como é seu nome, meu bem?

– Cândida.

É ela de novo. E as grandes camadas de chocolate no seu traseiro não estão ajudando o tapete.

A mãe do aniversariante decide chorar.

Melhor ainda são os pais que vêm buscar as crianças e ficam para tomar uma cervejinha. A noite já vai alta, os filhos dormem nos seus colos com a boca aberta, os balões coloridos presos ao dedo de cada criança fazem um balé em câmara lenta no meio da sala, e os pais não vão embora. A mãe do aniversariante não sente mais as pernas. Apalpa um joelho, para ver se a perna ainda está lá. Fantástico: está. E então ouve, incrédula, a voz do marido:

– Carminha, traz mais uma cerveja para o dr. Ariel...

Será que o inconsciente não sabe que ela teve que correr o dia inteiro? Que encheu os balões com seus próprios pulmões? Que fez a torta de chocolate com a sua própria receita? Que por pouco não estrangulou 20 crianças com as suas próprias mãos? Boa festa de aniversário é a que acaba com a mãe do aniversariante querendo estrangular o próprio marido.

E o padrinho do aniversariante, que vem de longe especialmente para o aniversário e é ignorado pelo afilhado?

– Ora, Rodolfo, é que ele não via você há dois anos. Criança esquece depressa.

– Ele jamais gostou de mim.

– Gosta sim, Rodolfo. Ó Beto, vem cá pedir a bênção a seu padrinho.

– A bênção, padrinho.

– Agora dê um beijo nele. Pronto. E agora agradeça o presente que ele trouxe para você.

– Obrigado pelo "Forte Apache".

– Viu só, Rodolfo? Você não pode se queixar do seu afilhado. Ele adora você.

– É. Só que o meu presente não foi o "Forte Apache".

O padrinho ficará com a cara trágica até o fim da festa. Recusará salgadinhos e cervejas e suspirará muito. Antes de dormir, o afilhado virá correndo lhe dar um beijo espontâneo e um longo abraço. Na hora de ir embora, Rodolfo confidenciará aos compadres:

– Ele me adora.

Uma boa festa de aniversário deve ter guaraná morno e show de mágica. O mágico deve ser arranjado à última hora e não pode ser muito bom. A mãe do aniversariante deve contratar o mágico na certeza de que, depois de cantarem o "Parabéns a você", comerem a torta de chocolate e beberem o guaraná morno, as crianças não terão mais o que fazer, perderão o interesse e a festa será um fracasso. É preciso um show para entretê-las.

– Crianças, atenção! Uma surpresa para vocês!

251

Dona Carminha não consegue atrair a atenção das crianças. Há um grupo brincando de pegar, outro brincando de cabra-cega, um terceiro improvisando um renhido futebol com balões, e a Cândida que – com sua cara impassível de querubim – prepara-se para amarrar uma jarra caríssima no rabo do cachorro.

– Crianças! Por favor, silêncio! Parem imediatamente tudo o que estão fazendo. Para vocês não ficarem sem o que fazer, vamos apresentar um show de mágicas!

Deve ser uma luta para reunir as crianças em torno do mágico. Antes que o espetáculo acabe, as crianças estarão participando ativamente de cada truque, espiando para dentro da manga, descobrindo todos os compartimentos secretos e desmoralizando por completo o mágico, que no dia seguinte mudará de profissão. Em seguida, a mãe do aniversariante tentará organizar um calmo e instrutivo jogo de charadas, mas ninguém lhe dará bola. As crianças agora brincam de Zorro, e o Eurico, montado no cachorro, faz um rápido "Z" com um jato de Coca-Cola na parede da sala.

Uma boa festa de aniversário deve terminar depois da meia-noite, quando o último pai sai arrastando a última criança, e a criança, o último balão, que estoura na saída. A mãe do aniversariante deve olhar para o marido, suspirar e declarar que está morta. Que irá direto para a cama e só pensará em arrumar a casa amanhã. Ou daqui a uma semana, sei lá. E só então se lembrará:

– Meu Deus, a Cândida! Temos que levar a Cândida em casa.

Uma boa festa de aniversário deve terminar com uma criança sonolenta sendo entregue em casa com a recomendação:

– Olhe que ela está que é só chocolate.

PAIS & FILHOS

PAI NÃO ENTENDE NADA

– Um biquíni novo?

– É, pai.

– Você comprou um no ano passado!

– Não serve mais, pai. Eu cresci.

– Como não serve? No ano passado você tinha 14 anos, este ano tem 15. Não cresceu tanto assim.

– Não serve, pai.

– Está bem, está bem. Toma o dinheiro. Compra um biquíni maior.

– Maior não, pai. Menor.

Aquele pai, também, não entendia nada.

Suflê de Chuchu

Houve uma grande comoção em casa com o primeiro telefonema da Duda, a pagar, de Paris. O primeiro telefonema desde que ela embarcara, mochila nas costas (a Duda, que em casa não levantava nem a sua roupa do chão!), na Varig, contra a vontade do pai e da mãe. Você nunca saiu de casa sozinha, minha filha! Você não sabe uma palavra de francês! Vou e pronto. E fora. E agora, depois de semanas de aflição, de "onde anda essa menina?", de "você não devia ter deixado, Eurico!", vinha o primeiro sinal de vida. Da Duda, de Paris.

– Minha filha...

– Não posso falar muito, mãe. Como é que se faz café?

– O quê?

– Café, café. Como é que se faz?

– Não sei, minha filha. Com água, com... Mas onde é que você está, Duda?

– Estou trabalhando de "au pair" num apartamento. Ih, não posso falar mais. Eles estão chegando. Depois eu ligo. Tchau!

O pai quis saber detalhes. Onde ela estava morando?

– Falou alguma coisa sobre "opér".

– Deve ser "operá". O francês dela não melhorou...

Dias depois, outra ligação. Apressada como a primeira. A Duda queria saber como se mudava fralda. Por um momento, a mãe teve um pensamento louco. A Duda teve um filho de um francês! Não, que bobagem, não dava tempo. Por que você quer saber, minha filha?

– Rápido, mãe. A criança tá borrada!

256

Ninguém em casa podia imaginar a Duda trocando fraldas. Ela, que tinha nojo quando o irmão menor espirrava.

– Pobre criança... – comentou o pai.

Finalmente, um telefonema sem pressa da Duda. Os patrões tinham saído, o cagão estava dormindo, ela podia contar o que estava lhe acontecendo. "Au pair" era empregada, faz-tudo. E ela fazia tudo na casa. A princípio tivera alguma dificuldade com os aparelhos. Nunca notara antes, por exemplo, que o aspirador de pó precisava ser ligado numa tomada. Mas agora estava uma opér "formidable". E Duda enfatizara a pronúncia francesa. "Formidable". Os patrões a adoravam. E ela tinha prometido que na semana seguinte prepararia uma autêntica feijoada brasileira para eles e alguns amigos.

– Mas, Duda, você sabe fazer feijoada?

– Era sobre isso que eu queria falar com você, mãe. Pra começar, como é que se faz arroz?

A mãe mal pôde esperar o telefonema que a Duda lhe prometera, no dia seguinte ao da feijoada.

– Como foi, minha filha? Conta!

– Formidable! Um sucesso. Para o próximo jantar, vou preparar aquela sua moqueca.

– Pegue o peixe... – começou a mãe, animadíssima.

A moqueca também foi um sucesso. Duda contou que uma das amigas da sua patroa fora atrás dela, na cozinha, e cochichara uma proposta no seu ouvido: o dobro do que ela ganhava ali para ser opér na sua casa. Pelo menos fora isso que ela entendera. Mas Duda não pretendia deixar seus patrões. Eles eram uns amores. Iam ajudá-la a regularizar a sua situação na França. Daquele jeito, disse Duda a sua mãe, ela tão cedo não voltava ao Brasil.

É preciso compreender, portanto, o que se passava no coração da mãe quando a Duda telefonou para saber como era a sua receita de suflê de chuchu. Quase não usavam o chuchu na França, e a Duda dissera a seus patroes que suflê de chuchu era um prato típico brasileiro e sua receita era passada de geração a geração na floresta onde o chuchu, inclusive, era considerado afrodisíaco. Coração de mãe é um pouco como as Caraíbas. Ventos se cruzam, correntes se chocam, é uma área de tumultos naturais. A própria dona daquele coração não saberia descrever os vários impulsos que o percorreram no segundo que precedeu sua decisão de dar à filha a receita errada, a receita de um fracasso. De um lado o dese-jo de que a filha fizesse bonito e também – por que não admitir? – uma certa curiosidade com a repercussão do seu suflê de chuchu na terra, afinal, dos suflês, do outro o medo de que a filha nunca mais voltasse, que a Duda se consagrasse como a melhor opér da Europa e não voltasse nunca mais. Todo o destino num suflê. A mãe deu a receita errada. Com o coração apertado. Proporções grotescamente deformadas. A receita de uma bomba.

Passaram-se dias, semanas, sem uma notícia da Duda. A mãe imaginando o pior. Casais intoxicados. Jantar em Paris acaba no hospital. Brasileira presa. Prato selvagem enluta famílias, receita infernal atribuída à mãe de trabalhadora clandestina, Interpol mo-bilizada. Ou imaginando a chegada de Duda em casa, desiludida com sua aventura parisiense, sua carreira de opér encerrada sem glória, mas pronta para tentar outra vez o vestibular.

O que veio foi outro telefonema da Duda, um mês depois. Apressada de novo. No fundo, o som de bongôs e maracas.

– Mãe, pergunta pro pai como é a letra de Cubanacã!

– Minha filha...

– Pergunta, é do tempo dele. Rápido que eu preciso pro meu número.

Também houve um certo conflito no coração do pai, quando ouviu a pergunta. Arrá, ela sempre fizera pouco do seu gosto mu-sical e agora precisava dele. Mas o segundo impulso venceu:

– Diz pra essa menina voltar pra casa. JÁ!

A Bola

O pai deu uma bola de presente ao filho. Lembrando o prazer que sentira ao ganhar a sua primeira bola do pai. Uma número 5 sem tento oficial de couro. Agora não era mais de couro, era de plástico. Mas era uma bola.

O garoto agradeceu, desembrulhou a bola e disse "Legal!" Ou o que os garotos dizem hoje em dia quando gostam do presente ou não querem magoar o velho. Depois começou a girar a bola, à procura de alguma coisa.

– Como é que liga? – perguntou.

– Como, como é que liga? Não se liga.

O garoto procurou dentro do papel de embrulho.

– Não tem manual de instrução?

O pai começou a desanimar e a pensar que os tempos são outros. Que os tempos são decididamente outros.

– Não precisa manual de instrução.

– O que é que ela faz?

– Ela não faz nada. Você é que faz coisas com ela.

– O quê?

– Controla, chuta...

– Ah, então é uma bola.

– Claro que é uma bola.

– Uma bola, bola. Uma bola mesmo.

– Você pensou que fosse o quê?

– Nada, não.

O garoto agradeceu, disse "Legal" de novo, e dali a pouco o pai o encontrou na frente da tevê, com a bola nova do lado, manejando os controles de um videogame. Algo chamado *Monster Ball*, em que times de monstrinhos disputavam a posse de uma bola em forma de *blip* eletrônico na tela ao mesmo tempo que tentavam se destruir mutuamente. O garoto era bom no jogo. Tinha coordenação e raciocínio rápido. Estava ganhando da máquina.

O pai pegou a bola nova e ensaiou algumas embaixadas. Conseguiu equilibrar a bola no peito do pé, como antigamente, e chamou o garoto.

– Filho, olha.

O garoto disse "Legal" mas não desviou os olhos da tela. O pai segurou a bola com as mãos e a cheirou, tentando recapturar mentalmente o cheiro de couro. A bola cheirava a nada. Talvez um manual de instrução fosse uma boa idéia, pensou. Mas em inglês, para a garotada se interessar.

A Descoberta

– **P**apai!

– Meu filho. Dá um abraço. Há quanto tempo...

– Quando foi que o senhor chegou?

– Agora há pouco. A empregada abriu a porta. Quando soube que eu era seu pai mandou entrar, me serviu cafezinho. Aliás, essa empregada, não sei não.

– Por quê?

– Você, um rapaz solteiro, num apartamento sozinho, com uma empregada assim...

– Ela só vem durante o dia. Quase não nos encontramos.

– Você parece ótimo, meu filho.

– Estou muito bem.

– Esperei encontrar você bem mais magro...

– Não, estou muito bem. E a mamãe, o pessoal lá em casa?

– Tudo bem. Sua mãe lhe mandou cuecas e goiabada.

– Ótimo. Mas por que o senhor não me avisou que vinha?

– Quis fazer uma surpresa.

– E fez mesmo. Nunca que eu esperava ver o senhor aqui.

– Pois até parece que esperava. Este apartamento bem arrumado, livros por toda parte... Eu pensei que fosse entrar aqui tropeçando em mulheres.

– O que é isso, papai...

– É, num tapete de seios e nádegas. Do jeito que está, até parece que você passa todo o tempo estudando. Aposto que, atrás dos livros, tem mulher. Hein? Hein?

– Ora, papai...

– Aquela estante ali é, na verdade, uma porta secreta para o teu harém particular. A gente aperta uma lombada e aparece a Rose di Primo. É ou não é? Onde é que elas estão?

– Quem, papai?

– As mulheres, rapaz, as mulheres.

– Aqui não tem mulher, papai. Quer dizer, a esta hora não.

– Ah, então elas têm hora para chegar? Daqui a pouco chega o turno da noite, é isso? Sim, porque pelas suas cartas eu entendi que era mulher dia e noite, sem parar. Horário integral .

– Não, não. Para falar a verdade...

– Não tem uma bebida aí para o seu velho? Quero estar preparado para quando elas chegarem.

– Papai, o senhor não está falando sério.

– Como não? Eu não estou pagando por tudo isto, pelo apartamento, pelas suas roupas, pelas boates, pelos presentes para as suas mulheres, pela aparelhagem de som, por tudo? Quero aproveitar um pouco também, ora. Pensando bem, eu ainda não vi a tal aparelhagem de som que você falou na sua carta. A não ser que esteja disfarçada atrás de outra estante de livros.

– Papai...

– E a minha bebida?

– Bebida. Pois é. Acho que só tem guaraná.

– O quê? O bar deste apartamento foi estocado – e muito bem estocado, segundo as suas cartas – com o meu dinheiro, rapaz. Aliás, também não vi bar nenhum por aqui. Onde está o uísque estrangeiro?

– Papai, as minhas cartas...

– Não se preocupe. Sua mãe não viu nenhuma. Não foi fácil, mas consegui esconder todas dela. Por falar nisso, ela mandou reclamar que você não escreve nunca.

– Eu exagerei um pouco nas minhas cartas.

– Como, exagerou?

– O dinheiro que eu mandava pedir para comprar presentes para as mulheres...

– Sim?

– Era para comprar livros de estudo, para mim.

– Meu filho. Não!

– Era, papai. Menti nas minhas cartas.

– E o dinheiro para as noitadas em boates?

262

– Gastei em material de pesquisa.

– Meu Deus. Você quer dizer que o dinheiro que eu tenho mandado todos os meses, muitas vezes com sacrifício...

– Está indo todo para a Universidade e para material didático.

– Não acredito. Você não faria isso com seu pai.

– Papai...

– E pensar que eu mostrava suas cartas para os amigos, com orgulho... Aquela que você mandou dizendo que ia sair com a Sandra Brea e precisava de...

– O dinheiro foi para comprar um livro estrangeiro.

– E aquele aborto que você precisava pagar com urgência?

– Nunca houve aborto nenhum. Tudo mentira.

– Meu filho, que decepção...

– Papai... Papai, você está bem? Papai! Dona Zulmira, venha ligeiro!

– Que foi?

– Traga um copo d'água, rápido.

– Pode ser um refrigerante, meu filho.

– Um guaraná, rápido!

– Mas não tem guaraná.

– NEM GUARANÁ?!

– Calma, papai. Traga a água, dona Zulmira.

– E essa bruxa velha que você tem em casa, meu filho. Pelo menos uma empregada bonitinha você podia ter...

– Aqui está a água, doutor.

– Obrigado.

– Olhe, o senhor não precisa se preocupar com este seu filho, doutor. Cuido dele como se fosse um filho. Ele é um santo!

– Aahnn...

– Obrigado, Dona Zulmira. Pode ir.

– Meu filho, e a aparelhagem de som? O dinheiro que eu mandei para a aparelhagem de som acoplada com o sistema de luz indireta e pisca-pisca?

– Foi para comprar um microscópio, papai.

– AAHNNN!

O Mundo Restaurado

O pai ganha os presentes que um pai costuma ganhar. Camisas, lenços, uma gravata muito parecida com a que deu para alguém no ano passado, meias. Alguns livros, alguns vinhos. Mas fica de olho nos presentes das crianças. Com o ar condescendente de quem tem um saudável interesse nas atividades dos filhos. Mas louco de inveja.

– Meu filho. Um Autorama!

– É, pai.

– Vamos armar agora mesmo!

– Agora não, pai. Amanhã, a gente arma.

– Amanhã, nada. Agora! Arreda essa papelada pra lá. Aqui na sala mesmo tem lugar.

A mãe intervém. Você está louco? Armar esse negócio no meio da sala, no meio da festa?! E as crianças precisam ir dormir. Foi excitação demais para um dia só.

O pai fica olhando com ressentimento o Autorama que desaparece da sala embaixo do braço do guri. Pensa, vagamente, em seguir o filho e propor uma barganha. Escuta, a mãe não está nos ouvindo. Eu te dou todos os meus lenços e tu deixa eu armar o Autorama aqui no teu quarto, com a porta fechada. Mas não. Os convidados, o que pensariam dele? Na certa que estaria bêbado, como no ano passado.

Ele examina o livro que ganhou do cunhado. *O Mundo Restaurado*, de Henry Kissinger. O cunhado, inexplicavelmente, lhe atribui um grave interesse nos problemas contemporâneos. Vive lhe mandando recortes de jornal com trechos sublinhados e pontos de exclamação na margem. Às vezes, telefona, com recados cifrados.

– Lembra aquela nossa conversa?

– Qual?

– Veja na terceira página do *Correio* de hoje. Um pequeno tópico no canto inferior direito. É a prova de tudo aquilo que nós discutíamos no outro dia, lembra?

– Não.

– A crise é irreversível, meu filho. Um abração.

Ele só ganha presente de homem sério. De homem preocupado com os problemas contemporâneos. Lenços brancos, camisas sóbrias, meias pretas e marrons. No ano passado, deu para um primo taciturno uma gravata cinza-escura com manchas pretas e estrias roxas, como hematomas. Com um cartão gozando a seriedade do primo. Este ano recebeu de volta a mesma gravata. Sem cartão. As pessoas, pensa, me confundem com um adulto. Vê a filha mais velha que passa equilibrando várias caixas de presentes.

– Te desafio para uma partida de damas.

Não é uma proposta carinhosa. É um desafio mesmo. Posso derrotar qualquer criança nesta sala! Dama, moinho, bola de gude, palavra-cruzada... A filha o ignora e também vai para o quarto.

Decidiram, ele e a mulher, não dar nenhuma arma de brinquedo no Natal. Nem arco e flecha. Os psicólogos não aconselham. Mas ele agora tem uma lembrança que lhe sobe até a garganta e fica atravessada: aos doze anos ganhou uma metralhadora de latão que cuspia fogo. Tinha uma manivela do lado que a gente girava e a metralhadora cuspia fogo! O cunhado senta ao seu lado, com um copo de uísque na mão. Aponta para o livro.

– Isso aí explica muita coisa. Lembras daquela minha tese?...

Mas ele não ouve mais nada. Ergue o Henry Kissinger até os olhos, como se mirasse uma metralhadora, e começa a girar uma manivela invisível do lado do livro. Ao mesmo tempo, com a boca imita o ruído de tiros, e descobre entusiasmado que ainda não perdeu o jeito. O cunhado fica olhando, entre surpreso e divertido, enquanto ele varre a sala com rajadas imaginárias.

NO BAR

DEZESSEIS CHOPES

A conversa já passara por todas as etapas que normalmente passa uma conversa de bar. Começara chocha, preguiçosa. O mais importante, no princípio, são os primeiros chopes. A primeira etapa vai até o terceiro chope.

Do terceiro ao quarto chope, inclusive, contam-se anedotas. Quase todos já conhecem as anedotas, mas todos riem muito. A anedota é só pretexto para rir. A mesa está ficando animada, isso é o que importa. São cinco amigos.

Eu disse que eram cinco à mesa? Pois eram cinco à mesa. Dois casados, dois solteiros e um com a mulher na praia – quer dizer, nem uma coisa nem outra. E entram na terceira etapa.

Durante o quinto e o sexto chope, discutem futebol. O que nos vai sair esse tal de Minelli? Olha, estou gostando do jeito do cara. E digo mais, o Grêmio não agüenta o roldão nesta fase do campeonato. Quer apostar? Não agüenta. Porque isto e aquilo, que venha outra rodada. E – escuta, ó chapa – pode vir também outro sanduíche aberto e mais uns queijinhos.

O sétimo chope inaugura a etapa das graves ponderações. Chega a Crise e senta na mesa. O negócio não está fácil, minha gente. Vocês viram a história dos foguetes? Na Europa, anda terrorista com foguete dentro da mala. Em plena rua! O negro entra num hotel, pede um quarto, sobe, abre a mala, vai até a janela e derruba um avião. Derruba um avião assim como quem cospe na calçada!

São homens feitos, homens de sucesso, amigos há muito anos. Nenhum melhor do que o outro. A etapa das graves ponderações

269

deságua, junto com o nono chope, na etapa confidencial. Pois eu ouvi dizer que quem está por trás de tudo... Agora todos gritam, as confidências reverberam pelo bar. Os cinco estão muito animados.

Um deles ameaça ir embora mas é retido à força. Outra rodada! Hoje ninguém vai pra casa. Começa a etapa inteligente. Todos dizem frases definitivas que nenhum ouve, pois cada um grita a sua ao mesmo tempo. Doze chopes. Treze. Começa uma discussão, ninguém sabe muito bem se sobre palitos ou petróleo. A discussão termina quando um deles salta da cadeira, dá um murro na mesa e berra: "E digo mais!" Faz-se silêncio. O quê? O quê? "Eu vou fazer xixi..."

Com quinze chopes começa a fase da nostalgia. Reminiscências, auto-reprimendas, os podres na mesa. As grandes revelações. Eu sou uma besta... Besta sou eu. Tenho que mudar de vida. Eu também. Cada vez me arrependo mais de não ter... de não ter... sei lá! E então um deles, os olhos quase se fechando, diz:

– Sabe o que é que eu sinto, mas sinto mesmo?

Ninguém sabe.

– Sabe qual é a coisa que eu mais sinto?

– Diz qual é.

– Sabe qual é o vazio que eu mais sinto aqui?

– Diz, pô!

– É que eu nunca tive um canivete decente.

O silêncio que se segue a esta revelação é mal compreendido pelo garçom, que vem ver se querem a conta. Encontra os cinco subitamente sóbrios, olhando para o centro da mesa com o ressentimento de anos. É isso, é isso. Um homem precisa de um canivete. Não de qualquer canivete, não desses que dão de brinde. Um verdadeiro canivete. Pesado, de fazer volume na mão, com muitas lâminas. Um canivete decente.

– Eu tive – diz, finalmente, um dos cinco. É uma confissão.

E os outros olham para ele como se olha para um homem completo. Ali está o melhor deles, e eles não sabiam.

ÍNDIOS

Era uma reunião de amigos, todos já no lado mais preguiço-so dos 40 anos, e já tinham falado de tudo. Do Collor, da seleção, da vida em geral (tudo contra). Foi quando um deles disse:

– Sabe do que eu tenho saudade?

Ninguém disse "do quê?", porque não precisava. Ele conti-nuou:

– De filme de pirata.

Os outros suspiraram. Era verdade. Não faziam mais filmes de pirata. Mais uma prova de que a vida em geral perdera muito com a passagem dos anos.

– E filme com escadaria?

Desta vez não houve consenso. Como, filme com escadaria?

– Lembra como as pessoas caíam na escada, antigamente? Volta e meia rolava alguém pela escada, e morria.

– Ou então, se era mulher, perdia o filho.

– Exatamente.

Todos suspiraram outra vez. Ninguém mais rolava pela es-cada, nos filmes. Aliás, as escadas agora é que eram rolantes.

Um deles, só para provar a inveja retroativa do grupo, reve-lou que certa vez vira um filme de pirata com escadaria. Se passa-va em Maracaibo.

– Rolava alguém pela escada?

– Uma mulher.

– E perdia o filho?

– Não, mas tinham que fazer o parto às pressas. Alguém pe-dia "Água quente! Muita água quente!"

– Nunca entendi por que precisavam de tanta água quente para os partos...

Não é preciso dizer que estavam todos na mesa de um bar e que ninguém conseguiria se levantar, mesmo que quisesse... Ninguém queria. A conversa chegara ao ponto ideal de melancolia e revolta. Pediram outra rodada de bebidas. Só então se deram conta de que o garçom desaparecera. Não havia mais ninguém no bar.

– Onde será que...

– Ssssshhh!

– Que foi?

– Ouça.

– Eu não estou ouvindo nada.

– Exatamente. Está tudo quieto demais.

Todos se entreolharam. Seria o que eles estavam pensando? Demorou alguns minutos até um deles conseguir dizer a palavra.

– Índios...

Só podia ser.

– Estamos cercados.

– Alguém devia dar uma espiada lá fora. Para ver quantos são.

– Eu estou desarmado.

– Eu tenho um canivete.

– Então vai você.

– E se a gente tentasse negociar?

– Rá. Você não conhece esses selvagens. Não querem conversa. Querem o nosso couro cabeludo.

– Não terão muita sorte com você...

– Nenhum de nós tem o couro cabeludo que tinha antigamente.

Mais suspiros.

– Acho que devemos tentar romper o cerco e ir para casa.

– Não temos uma chance. Esses cheyennes enxergam no escuro.

– Isto não é território cheyenne.

– Você quer dizer...

– Temo que sim.

A palavra foi dita com um misto de terror e admiração.

– Mescaleros.

Os piores de todos. Mescaleros. Piores do que os sioux, os comanches e os comancheros. Piores do que os pés-negros e os caiapauas. Estavam perdidos.

– Estamos perdidos.

– Espere...

– O quê?

– Ouvi um assovio. São apaches.

– Tem certeza?

– Não passei a infância e a adolescência dentro de cinemas por nada, meu caro. Os mescaleros imitam a coruja. Os apaches assoviam.

– Ainda bem...

– Por quê?

– Os apaches nunca atacam durante a noite. Temos até o amanhecer.

Felizmente reapareceu o garçom e eles puderam pedir mais uma rodada.

CONVERSAS DE BAR

– Garçom, mais dois chopes!

– Um brinde ao nosso reencontro.

– Um brinde aos bons tempos!

– Aos bons tempos.

– Lembra aquela linha média? Você, eu e o Cadarço. Que trio!

– Que trio.

– A melhor linha de *halfs* do mundo.

– Bom. Pelo menos do bairro.

– Um brinde a nós.

– A nós.

– Garçom! Mais dois.

– "Linha de *halfs*..." Como nós somos antigos!

– Bons tempos. Todo mundo unido...

– Todo mundo mais moço, também.

– À juventude!

– À juventude!

– Ao Grêmio Esportivo, Recreativo e Cultural Auriverde!

– Ao Auriverde!

– Nunca entendi aquele "Cultural"...

– Tinha as sessões de safadeza. As revistinhas, lembra? Aquilo era cultural paca.

– Engraçado, a gente se encontrar assim. Você continua morando aqui no bairro?

– Sempre. Casei com a Nelci, lembra dela?

– A Nelci do Seu Nestor?

– Não, a Nelci da Dona Antônia. Irmã do Cambota.

– Claro! Puxa, mas quando eu saí daqui ela era deste tamanho.

– Pois é. Mas cresceu um pouquinho.

– Puxa. Escuta aqui, e o Cadarço?

– Bom...

– Que jogador! Sempre esperei que ele acabasse em algum clube grande. Era um Nilton Santos, lembra? A elegância. A inteligência. Sabia tudo de bola. Sabia tudo da vida também. Lembra quando ele nos livrou de levar um pau na vila? Tinha uma conversa que não era mole. Grande cara. Nunca mais vi. Deve ter ido longe. Garçom! Mais dois!

– Quando ele vier, dê uma boa olhada nele.

– Em quem?

– No garçom.

– Por quê?

– É o Cadarço.

– O QUÊ?!

– É.

– Não pode ser. Pelo amor de Deus. O Cadarço tinha a nossa idade. Esse aí é um velho. Caminha arrastando os pés!

– Ele teve uma vida meio complicada...

– Mas por que ele não falou comigo?

– Acho que ficou com vergonha.

– O Cadarço... Não era ele que a mãe teve um problema?

– É, foi o que acabou com ele. Olha, aí vem ele. Vou perguntar se ele se lembra da nossa linha média.

– Não. Faz de conta que eu não sei quem ele é.

– Certo.

– Obrigado, garçom. Tá caprichado.

– Outro brinde? À vida!

– Não. À vida não.

Tudo que o Mafra dizia o Tarol duvidava. Eram inseparáveis, mas viviam brigando. O Mafra contava histórias fantásticas e o Tarol fazia aquela cara de conta outra.

– Uma vez...

– Lá vem história.

– Eu nem comecei e você já está duvidando?

– Duvidando não. Eu não acredito mesmo.

– Mas eu nem contei ainda!

– Então conta.

– Uma vez eu fui num baile só de pernetas e...

– Eu não disse? Eu não disse?

O Mafra às vezes fazia questão de provar suas histórias para o Tarol. Depois invocava o seu testemunho:

– Tarol, eu sou ou não sou pai-de-santo honorário?

O Tarol relutava e depois confirmava. Mas em seguida arrematava...

– Também, aquele terreiro está aceitando até turista argentino...

Então veio o caso do apito. Um dia, numa roda no bar, o Mafra revelou:

– Tenho um apito de chamar mulher.

– Um quê?!

– Um apito de chamar mulher.

Ninguém acreditou. O Tarol chegou a bater com a cabeça na mesa, gemendo:

– Ai, meu Deus! Ai, meu Deus!

– Não quer acreditar, não acredita. Mas tenho.

– Então mostra.

– Não está aqui. Está em casa. Aqui não precisa apito. É só dizer "vem cá".

O Tarol gesticulava para o céu, apelando por justiça. Mais esta, Senhor!

– Um apito de chamar mulher! Era só o que faltava!

Mas aconteceu o seguinte: Mafra e Tarol foram juntos numa viagem (Mafra queria provar ao Tarol que tinha mesmo terras na Amazônia, uma ilha que mudava de lugar conforme as cheias) e o avião caiu em plena selva. Por sorte, ninguém se machucou, todos sobreviveram e depois de uma semana a frutas e água da chuva foram salvos pela FAB. Na volta, cercados pelos amigos do bar, Mafra e Tarol contaram sua aventura. E Mafra, triunfante, pediu para o Tarol:

– Agora, conta do meu apito.

– Conta você – disse Tarol, contrafeito.

– O apito existia ou não existia?

Tarol, chateadíssimo, fez que sim com a cabeça.

– Conta, conta – pediram os outros.

– Foi no quarto ou quinto dia – contou Mafra. – Já sabíamos que ninguém morreria e que o salvamento era só questão de tempo. A FAB já tinha nos localizado. E então, naquela descontração geral, tirei o meu apito do bolso.

– O tal de chamar mulher?

– Exato. Soprei o apito.

– E então?

– Então, pimba.

– Apareceram mulheres?

– Coisa de dez, quinze minutos. Três mulheres.

Todos se viraram para o Tarol, incrédulos.

– É verdade?

– É – concedeu o Tarol.

Fez-se um silêncio de puro espanto. Até que o Tarol falou outra vez.

– Mas também, cada bagulho!

A Mesa

Eram cinco. Reuniam-se todos os dias depois do trabalho para o chope. Há anos faziam a mesma coisa. E cada vez ficavam mais tempo na mesa do bar. Sempre o mesmo bar e sempre a mesma mesa. No começo eram dois, três chopes cada um, no máximo um tira-gosto, depois pra casa, jantar. Todos tinham mulher, família, essas coisas. Mas um dia o Gordo anunciou: "Vou jantar aqui mesmo". E pediu um filé.

Os outros, aos poucos, foram aderindo. Era um sacrifício deixar a roda logo quando o papo estava ficando bom. Passaram a jantar no bar também. Depois mais dois, três chopes cada um e para casa, dormir. Até que um dia o Gordo – de novo o pioneiro – bateu na mesa e declarou:

– Pois não vou pra casa.

– Como, não vai pra casa?

– Não vou. Vou passar a noite aqui.

– Mas na hora de fecharem o bar, te botam na rua.

– Quero ver fecharem o bar comigo aqui dentro.

Na verdade, o dono não se animou a botar o Gordo para fora. A turma era antiga, bons fregueses. Fechou o bar, mas deixou o Gordo na mesa. No dia seguinte, quando os outros quatro chegaram, encontraram o Gordo no mesmo lugar. Com uma pilha de bolachas de chope na sua frente.

– Você não saiu daí?

– Só pra ir no banheiro.

Em seguida o Gordo participou, com alguma solenidade, que não sairia mais do bar.

– Nunca mais?

– Nunca.

Os outros se entreolharam, o Julião foi o primeiro a falar:

– Pois eu também não!

Fizeram um pacto. Ninguém sairia mais daquela mesa. Ao diabo com mulheres, filhos, o Brasil e o resto. Só levantariam da mesa para ir ao banheiro. Passariam o resto da vida tomando chope e batendo papo.

– E em caso de guerra atômica? – perguntou um, previdente.

– Morremos aqui mesmo.

– Combinado!

E estão lá até hoje. No mesmo bar e na mesma mesa, há meses. As mulheres tentaram carregá-los para casa, sem sucesso. Os filhos foram implorar, parentes e amigos tentam dissuadi-los. Sem sucesso. Dormem ali mesmo, comem ali mesmo, se precisam de alguma coisa, cigarros ou outra camisa – mandam buscar. O dono do bar não sabe o que fazer. Como os cinco abandonaram seus empregos, provavelmente não terão dinheiro para pagar a conta. Mas é pouco provável que peçam a conta num futuro próximo. O papo está cada vez mais animado.

NOITES DO BOGART

– Tu vens sempre aqui?

– Não, primeira vez.

– O que está achando?

– Um espetáculo.

– Bacana, né?

– Puxa. Só.

– Eu acho que eu já te conheço...

– Pode ser.

– Tu não é amiga do Alicate?

– De quem?

– Do Pereira.

– Fui namorada dele. Mas faz horas.

– Eu sabia! Grande Pereira...

– É...

– Eu falo como amigo. Pra namorar, não sei.

– Um pouco complicado.

– O Alicate, complicado?

– Não queira saber. Aquilo é um poço de complicação. Eu é que sei.

– O Alicate?! Veja você. Sempre achei que não havia no mundo ninguém menos complicado que o Alicate. A gente não conhece as pessoas, mesmo.

– Será que nós estamos falando na mesma pessoa? Eu não sabia que o apelido dele era Alicate.

– Eu não sabia que ele era complicado. E olha que conheço o Alicate desde que a gente era deste tamanho. Da turma da Mostardeiro.

– Só vou dizer uma coisa. Nós desfizemos o casamento porque o analista dele foi contra.

– O Alicate no analista?! Não. Espera um pouquinho.

– Ele começou a se analisar quando nós começamos o namoro.

– Então me desculpa. Foi você que complicou a vida do Alicate.

– Como, eu?

– Não. Desculpe. É só um palpite. Mas quando eu conheci o Alicate ele era cuca fresquíssima. Mais normal que, sei lá. Alguma você andou aprontando.

– Eu?! Essa é muito boa. Você não sabe a barra que eu tive que segurar com o seu amigo. Não sei como eu não enlouqueci.

– Sei não. Sei não.

– Aquele é um neurótico.

– Olha aqui. Não fala do Alicate.

– Alicate, Alicate. Grande coisa, o seu Alicate.

– Não fala do Alicate!

– Olha só. Olha só!

– Que portento.

– Agora eu sei o que o Sarney quis dizer com "Deus seja louvado"...

– Isso não é mulher. Isso é um conglomerado!

– A Fafá de Belém, do lado dela, desaparecia.

– Olha, eu acho até que são duas.

– Não, não. É uma só. É impressão.

– Onde é que anda o José Onofre?

– Está na *Status*. Mas por que você foi se lembrar do José Onofre numa hora destas?

– Não, é que me lembrei como ele chamava mulher assim.

– Como era?

– "Sonho de anchietano".

– Perfeito!

– Não é perfeito? De velhos anchietanos, claro. Hoje é diferente.

– Alguém um dia ainda vai escrever uma tese sobre os devaneios lúbricos dos formandos no Anchieta e sua influência na história do Rio Grande.

– Social e política.

– Isso.

– O cara que está com ela...

– Não é o Andradinha?

– É o Andradinha!

– Acho que isso destrói a tese do José Onofre. O Andradinha, que eu saiba, estudou no Julinho.

– Mas os anchietanos sonhavam com elas. Não quer dizer que se aproximassem delas. Até duvidavam que elas existissem

– Se vissem uma, tocavam para ver se era verdade.

– Não. Se tocasse, não era do Anchieta. Do Rosário, pode ser. Do Anchieta, não.

– Do IPA, puxava conversa.

– Do Julinho, cantava.

– Escuta, como é o esquema aqui? Dá para tirar ela pra dan-çar?

– Sei não...

– O problema é o Andradinha.

– Não encrenca. Do Julinho, não encrenca.

– Se fosse do IPA, brigava.

– Do Rosário, ficava indeciso.

– Do Anchieta, deixava, mas depois fazia culpa.

– Eu vou lá. Se não voltar em meia-hora, mandem uma patru-lha.

– A gente pode conceber uma coisa que não tem fim, certo?

– Ahnn?

– Uma coisa que não tem fim.

– O quê?

– Não, eu digo. Um conceito. O infinito. Dá pra conceber.

– Sei.

– Agora, você pode conceber uma coisa que nunca teve começo?

– Como assim?

– Hein?

–Como assim?

– Tente imaginar uma coisa que existe, mas que nunca come-çou. Uma coisa que sempre existiu.

– É. É brabo.

– Exato. E a única maneira de compreender o universo é poder imaginar uma coisa que nunca começou. Que existiu para sempre. O infinito para os dois lados.

– É. É brabo.

– Como é que começou o universo?

– Não tenho a mínima.

– Dizem que foi numa grande explosão.

– Ahn?

– Explosão. Bum. Mas me diz uma coisa. O que que havia antes da grande explosão?

– Nada.

– Não. Nada é a ausência de matéria. Só pode existir o nada se existe a matéria. É impossível existir a ausência de uma coisa que não existe. É como dizer "Não existe o Alcebíades", referindo-se a uma pessoa que não nasceu. É preciso ter nascido para estar ausente.

– O Alcebíades?

– Um exemplo ridículo, talvez, mas eu quero dizer o seguinte. Antes de existir a matéria, não existia nem o nada.

– Como, não existia o nada? Se não existia nada, existia o nada.

– Não! Como era esse nada?

– E eu sei? Era espaço. Espaço vazio.

– Espaço é o que existe entre os corpos celestes. Se não existem os corpos celestes, não existe o espaço entre eles. Não existe nada.

– Arrá! Você acabou de dizer que não existia nem o nada. Está se contradizendo.

– Existia a ausência de tudo, inclusive do nada. A ausência da ausência. O incompreensível. Por isto nós nunca vamos compreender o universo.

– O quê?

– Espera um pouquinho. Ó Dirceu! Dirceu! Dá pra abaixar um pouco a música? Senão a gente não chega a lugar nenhum.

– Baixa não, Dirceu. Levanta.

•

– Solange...

Ele dizia "Solange" em francês, prolongando a segunda sílaba e encurtando a última.

– Solange...

– Não enche, Carlos Henrique.

– Você tem que se lembrar de uma coisa: um beijo ainda é um beijo.

– Quer parar?

– Um suspiro ainda é um suspiro.

– Olha que eu me levanto e vou embora.

– As coisas fundamentais é que importam.

– Eu me levanto e vou embora!

– As time goes by.

– Sabe o que você é, Carlos Henrique? Quer saber o que você é?

– E quando dois amantes namoram...

– Você é um inconseqüente. É o que você é. As pessoas, aí, fazendo coisas, coisas importantes, e você nem tá. Você...

– Ainda dizem o quê? O quê? I love you.

– Chega pra lá, Carlos Henrique!

– Nisso você pode confiar, beibi.

– Eu não agüento mais, sabia? Você pensa que eu estou brincando? Não agüento mais. Uma pessoa com seu talento e que pôs tudo fora. Que não leva nada a sério. Sabe o quê que eu dou graças a Deus? Sabe?

– Não importa o que traga o futuro.

– É que nós não tivemos filho. Graças a Deus. Posso deixar você sem remorso. E vai ser agora.

– Solange...

– O quê?

– As time goes by.

– Pronto. Agora eu vou. Quer largar o meu braço?

– Só mais uma coisa.

– O quê, Carlos Henrique?

– Luar e canções de amor nunca saem de moda. Corações cheios de paixão, ciúmes e ódio. A mulher ama o homem, Solange, e o homem precisa de uma companheira, isso ninguém pode negar, pôxa.

Solange levantou e foi embora, esbarrando no Pinheirinho que acabava de chegar. Carlos Henrique pegou sua bebida e se mudou para outra mesa. Falou no ouvido da Ana Paula:

– Aninha...

– O quê, Cacao?

– Ainda é a velha história. Uma guerra por amor e glória. Uma questão de conseguir ou morrer. No mundo sempre haverá lugar para amantes, Aninha.

– É?

O Xavier chegou com a namorada mas, prudentemente, não a levou para a mesa com o grupo.

Abanou de longe. Na mesa, as opiniões se dividiam.

– Pouca vergonha.

– Deixa o Xavier.

– Podia ser filha dele.

– Aliás, é colega da filha dele.

– O quê?!

– Foi assim que eles se conheceram.

– Como vocês são, hein? Só porque há uma diferençazinha de idade...

– Diferençazinha é?

– Se uma mulher fizesse o mesmo, vocês caíam em cima. Como é homem, pode.

– Deixa o Xavier.

Na sua mesa, o Xavier pegara na mão da moça. Pela primeira vez em muitos anos, fizera gargarejo antes de sair de casa. Disse:

– Está gostando?

– Pô. Só.

– Chocante, né? – disse o Xavier. E depois ficou na dúvida. Ainda se dizia "chocante"?

– Tu vem muito aqui?

– Eu? Às vezes. Come alguma coisa? A comida também é boa.

– Obrigada. Eu comi em casa. Ainda estou cheia.

– Bebida?

– Campari.

Ele também pediu campari, que odiava. Propôs um brinde:

– A nós.

– Pô. Só.

Beberam, em silêncio. Depois ele disse:

– Boa a música, né?

E ela disse:

– Da massa.

E ele disse:

– Quer dançar?

E ela disse, sem pensar:

– Depois, tio.

E ficaram em silêncio. Ela pensando "será que ele ouviu?" E ele pensando "faço algum comentário a respeito, ou deixo passar?" Decidiu deixar passar. Mas pelo resto da noite aquele "tio" ficou em cima da mesa, entre os dois, latejando como um sapo. Ele a levou em casa depois voltou. Sentou com os amigos.

– Aí, Xavier. E a namorada?

Ele não respondeu. Estava dando instruções detalhadas ao garçom sobre como queria seu uísque. Depois pediu ao garçom que dissesse para o Dorfmann tocar "As time goes by" – bem lento. Depois ficou parado ouvindo. Os outros não olharam para ele, em respeito. Há quem afirme que ele soluçou. Pelo menos alguma coisa fez tilintar as medalhas penduradas sobre o peito.

•

A questão na mesa era: se acontecer o pior, para onde você vai?

– Tem um hotelzinho em Paris... – disse o Pedro Paulo.

– Sempre tem um hotelzinho em Paris... – disse o Cabeça.

O Pedro Paulo e o Cabeça se implicavam cordialmente.

– Me instalo lá e mando ver.

– Com que dólares?

– Ora, dólares.

– Não. Com que dólares? Passagem. Quarto. Comida. Vai viver do quê?

– Cantando no metrô.

– Já ouvi você cantar, Pepê. Você seria massacrado dois segundos depois de abrir a boca. Jogariam você pela janela.

– Me visto de mulher e vou dar no Bois de Boulogne. Está entendendo?

O Pedro Paulo já estava se levantando, irritado.

– Calma, calma – pediu o advogado. – A pergunta é hipotética, pessoal!

– Não te preocupa comigo! – disse o Pedro Paulo para o Cabeça, sentando mas ainda irritado.

– Eu voltava pra Palmeiras – disse a Marta, despreocupada.

– Mas como. Palmeiras não é Brasil?

– É, mas sei lá, né?

– É o Brasil mas nem tanto – acudiu o Batista.

– Pois eu vou dizer uma coisa – disse o Norberto. – Já tenho o meu fundo de fuga.

– Ah, é?

– Tou juntando o que posso.

– Vai pra onde?

– Bom, já tenho bastante pra chegar no Chuí. Mais um pouco e eu cruzo a fronteira.

– Vou pra Miami – disse a Lu. – Lavar prato, qualquer coisa.

– Tá doida. Lá só tem latino-americano. Eu não convivo com latino-americano aqui, vou conviver lá?

– E nós o que somos?

– Mas tem um limite, não é Cabeça?

Ninguém entendeu, mas deixaram pra lá. O Batista se virou pro Camarão.

– E tu, Camarão?

– Eu o quê?

O Camarão era meio distraído.

– Se acontecer o pior, você vai pra onde?

– Venho pra cá.

– Pro "Bogart"?

– É.

– Sério, Camarão – disse o Norberto.

– Eu estou falando sério. Venho pra cá. Não saio daqui. O exílio perfeito.

O Camarão obviamente não falava sério e o Norberto começou a dizer para onde iria, mas o Camarão insistiu:

– Sabem por quê? Sabem por quê?

– Por quê, Camarão?

– Porque vocês não estariam aqui!

O Pedro Paulo quis reagir, mas o advogado o deteve com um gesto. Tinham que compreender o Camarão. Aquele problema na pele, e ainda por cima funcionário público. Mudaram de assunto.

– Fala Fami!

Todos na mesa eram velhos amigos do Fami, que acabava de chegar. Menos a Dulce, que achou o apelido engraçado.

– Por que Fami?

– É mesmo, Fami. Por que a gente te chama de Fami?

– E eu sei? – disse o Fami, sentando.

Eram amigos de anos. De infância, da mesma rua. Começaram a fazer um inventário dos apelidos.

– Eu era o Gordo.

– Você?! – espantou-se a Dulce.

– Acredite ou não, eu era uma bola. Tinha complexo por ser gordo. Mas a turma não me deixava esquecer. Me chamavam de Gordo, de Bolão...

– De Big B...

– Big B?

– B de bunda.

– O meu apelido era Mancha. Só porque um dia apareci em casa com uma mancha na frente das calças e apanhei.

– Eu era o Capitão Cacete. Coisa do futebol.

– Capitão Cacete ou Araponga.

– Araponga? Isso eu não me lembro.

– Eu era o Tucano. Por razões óbvias.

– Mas por que Fami?

Ficaram quietos, puxando pela memória. Menos o Capitão Cacete, inconformado com o "Araponga". Puxa, todos estes anos, e só agora ele descobria aquilo. Logo Araponga!

– Será de "Família"?

– Podia ser. Eu era um um cara tranqüilo. Caseiro.

– Vem com essa, Fami.

– Vai dizer que não era?

– Faça-me um favor. Tu de família não tinha nada.

– Eu era o mais certo da turma.

– O mais louco, tu quer dizer. Até acho uma coisa. Acho que "Fami" era de "Famigerado".

– Era isso! – lembrou-se o ex-Gordo. – Famigerado. Matei.

– Meu apelido era "Famigerado"?!

– Claro. Me lembro direitinho.

– Por que, meu Deus?

– Isso eu não me lembro.

– Alguma você aprontou.

Mas ninguém se lembrava mais o que o Fami aprontara. Em todo o caso, fora o único apelido que ficara. Até os guris diziam "Sou filho do Fami". O Tucano chamou um garçom e disse "Pede lá pra tocar o 'As time goes by', vai". O Capitão Cacete não se conteve e perguntou para a mesa:

– Por que Araponga?

Mas a conversa já tinha mudado.

•

Era a primeira vez que os dois saíam juntos e a Maria José, assim que sentaram, perguntou:

– Lês muito?

Ele não entendeu.

– "Lês muito"?

– Livros. Gostas de ler?

– Ah. Gosto. Quando sobra um tempinho, né.

– A gente não tem tempo pra mais nada, né? Tou com *As Brumas de Avalon* na minha cabeceira e não consigo terminar.

– Eu também!

– Que coincidência!

Escolheram, por outra coincidência, o mesmo prato. E foram descobrindo afinidades, como disse muitas vezes a Maria José, "incríveis", durante todo o jantar. Só não tinham o mesmo entusiasmo pelo Djavan e discordavam frontalmente quanto a mocotó, mas no mais as coincidências eram incríveis, incríveis mesmo.

– Parece que a gente já se conhece há tanto tempo, Maria José!

– Me chama de Zequinha.

E ele não é feio, pensou a Maria José. As costeletas compridas estavam fora de moda, mas, que diabo, podiam voltar à moda a qualquer momento. Ela perguntou:

– Gostas de cinema?

– Gosto. Viste o "Veludo Azul"?

– Se vi. Loucura, né?

– Eu me identifiquei muito com o personagem.

– O rapaz?

289

– Não, o outro.

– O tarado?!

– Por que "tarado"?

A Maria José hesitou. Talvez fosse melhor mudar de assunto. Ou talvez não.

– Espera aí. O bandidão? O cara do veludo?

– É.

– Você não achou que ele era tarado?

– Às vezes só porque uma pessoa diverge de certo comportamento considerado "normal", não é compreendido. No meu caso, por exemplo...

Mas a Maria José tomara uma decisão.

– Eu não quero ouvir.

– Mas Zequinha...

– Me fala do teu trabalho. É com computador, né?

– Bem. Sim. Eu...

E a Maria José se debruçou, sorrindo, sobre o prato vazio da sobremesa, para ouvir com mais atenção. Iam se dar bem. Iam se dar muito bem. Ela só precisava tomar cuidado em certas áreas. Mas iam se dar muito bem.

•

O Dirceu já tinha passado pela mesa, para lembrar que na semana que vem tem Cyda Moreira, e o grupo estava recém nos primeiros goles, quando alguém disse:

– Olha o Paulinho com outra!

Um dos folclores do grupo era que o Paulinho nunca aparecia duas vezes com a mesma mulher. O próprio Paulinho cultivava sua legenda e recomendava: "'Se me virem pela segunda vez com a mesma mulher, me avisem que é distração". E fazia questão de aparecer com mulheres estranhas. Ninguém sabia onde ele as encontrava.

Uma vez fora uma oriental, não ficara bem claro de onde.

– Do Oriente – dissera o Paulinho, sem esclarecer nada.

A moça era simpática, ria muito, mas, a certa altura, embora o papo estivesse animado, simplesmente começara a dormir.

– Pô, Paulinho.

– É o fuso horário.

Outra vez o Paulinho chegara com uma ginasta, duas vezes o seu tamanho, cada perna. Ela falava pelo nariz e, a qualquer coisa que lhe dissessem, dizia: "Brincadeira!" E, para enfatizar: "Não, é brincadeira!"

Outra, uma senhora, podia ser mãe do Paulinho, muito distinta, mas que bebera um pouco demais e no fim da noite só dizia "Gôn-do-las", com as sílabas bem espacejadas, caprichando na colocação da língua e com um olho fechado.

– Vamos lá, dona Martita?

– Gôn-do-las.

– Isso. Vamos nessa.

A mulher com que o Paulinho chegara agora era bonita, muito pálida e séria, o cabelo caindo sobre um lado do rosto. Paulinho apresentou ao grupo. Esta é a Inês.

Os outros ficaram esperando. O Paulinho deixou a expectativa crescer. Depois anunciou:

– Ela é da UDR.

– O quê?

O Mundinho ainda pediu confirmação à moça.

– Você é da UDR mesmo?

– Só – disse a moça, com aquele olhar que não se fixa em nada.

Quando a moça pediu licença, porque tinha visto alguém no bar com quem precisava falar, e saiu da mesa, os outros se viraram para o Paulinho. Uma rebelião.

– Ó, Paulinho.

– Que foi?

– Desta vez você exagerou!

•

Só para dar uma idéia: era uma noite de dois Pinheiro Machado. Estava o Ivan e estava o José Antônio. Havia três escalões em torno do bar, o Paulão e o Frank tiveram que fazer seus pedidos por cima de várias cabeças, a bebida foi de mão em mão até eles, como amendoim numa arquibancada lotada.

– Será que ela vem? – perguntou o Paulão, nervoso.

– Calma. Vem. – disse o Frank.

291

O Frank mencionara, um dia, uma conhecida dele chamada Chantal que...

– O quê?– dissera o Paulão.

– Chantal. Por quê?

O Paulão se apaixonara pelo nome. Chantal! Que nome era aquele?

– Ela é francesa.

– Chantal... Como é que ela é?

– Bem, é...

– Não me conta.

Durante semanas o Paulão ficara com aquele nome na cabeça. Chantal. Que beleza! Que pessoa corresponderia àquele nome? Francesa, isto ele sabia. Seus vinte e dois, vinte e três anos. Cabelos? Castanhos. Não, pretos. Compridos. Escorridos pelos lados do rosto. Alta? Não muito. Usava sapatos baixos. Não se pintava. Os olhos eram grandes e escuros e misteriosos mas ficavam brandos quando ela sorria, e ela sorria muito. Falava português com sotaque. Tem uma palavra que francês usa muito, "superbe", e ela usava, pensando que também se dizia em português. "Acho você superbe, Paulon". Ela não conseguia pronunciar o "ão", chamava ele de "Paulon". E ele não cansava de dizer o nome dela. "Chantal, Chantal, Chantal", os dois caminhando de mãos dadas, e ela rindo, e dizendo "Você é louco, ahn?" e franzindo o nariz, e ele "Chantal, Chantal, Chantal..."

Um dia não se agüentou e pediu pro Frank. Precisava conhecer aquela mulher. Temeu que o Frank dissesse "Tudo bem, só não sei se o marido dela vai gostar", mas o Frank só disse tudo bem, os amigos são para isso mesmo. E, dois dias depois: "Olha, marquei um encontro no Bogart, sexta". E ali estavam eles. E de repente o Paulão viu o Frank fazer aquela cara de quem avistou alguém conhecido, e levantar o braço, e dizer "Chantal, aqui!", e não se virou. Saiu de costas, esbarrando no Polidoro. O Frank, espantado, ainda disse:

– Onde é que você vai? Ela chegou!

– Não. Olha. Fica pra outra vez, oquei? Tchau, Tchau!

Estava apaixonado demais. Estava tão apaixonado que não queria se arriscar a conhecer sua paixão. Saiu do "Bogart" sem olhar para os lados.

•

– É Diana.

– Como a deusa.

– Qual?

– Diana, a Caçadora.

– Não, não. Minha mãe me disse que é por causa de um artista.

– Diana Durbin.

– Não. Nem sei se é artista. Não tinha uma música?

– Que idade tem a sua mãe?

– Quarenta e um.

– É música. "Uou, uou, Daiana".

– Como é que você conhece?

– Eu sou mais velho do que pareço. Quantos anos você me dá?

– Ahm, deixa eu ver. Quarenta e...

– Fogo!

– Oito.

– Sei.

– Desculpe. Eu...

– Quarenta e dois, mas tudo bem.

– E o seu nome, como é?

– Benito.

– O quê?!

– Pois é. Foi meu pai que botou. Tenho um irmão que se chama Adolfo. E o outro, Franco.

– Benito... É bonito.

– Eu sempre odiei. Quando eu era guri, anunciei que queria mudar de nome. Pra Hopalongue. Meu pai me deu uma surra.

– Você não parece que tem quarenta e oito. Nem quarenta e dois. Juro.

– Não adianta. O mal está feito. Garçom: cicuta. Com açúcar na borda do copo.

– Você não tem uma ruga!

– Tenho algumas em casa. É que eu sou um inconsciente. Ainda sei toda a letra de "Diana". Pra você ver como tem espaço no meu cérebro. Eu...

– Bom. Prazer, hein?

– Você já...

– Já. Estou com aquele grupo ali. Tchau. Acho bonito, Benito.

293

– Escuta.

– O quê?

– Me apresenta a tua mãe, um dia?

•

Foi o primeiro encontro depois da briga.

– Oi.

– Oi.

– Tudo bem?

– Tudo. Você?

– Bem, bem.

– Então, tudo bem.

– Escuta...

– Arrã.

– Ficaram umas fotos suas lá em casa.

– Minhas?

– É. Com o Bismark.

– Ah. Aquelas de Capão?

– É.

– Pode ficar, eu...

– Mas eu não quero.

– Bom, então...

– Só estão ocupando espaço.

– Certo. Eu mando buscar.

– Obrigada.

– Falar nisso, você sabia que o Bismark morreu?

– O quê?!

– Morreu.

– Atropelado?

– Não. Uma doença. Já estava meio velho, também. Sabe como é.

– Pobre do Bismark.

– Pois é.

– Cê deve ter ficado arrasado, não ficou não?

– A gente se acostuma, não é? Com perdas.

– Isso é.

– É a vida.

– Falou.

– Eu mando buscar as fotos.

– Não, eu...

– Você quer ficar com elas?

– Não. Eu pensei, né? Como recordação. Afinal, aqueles dias em Capão foram legais.

– Eu também achei.

– Quem sabe eu...

– Pode ficar com as fotos.

– Não, eu pensei o seguinte. Quem sabe eu recorto as fotos. devolvo o lado em que aparece você e fico com o lado em que aparece o Bismark.

Começou a tocar "As time goes by".

– Tá.

– Você não se importa?

"You must remember this..."

– O que é isso? Tudo bem.

"A kiss is still a kiss..."

– Então tchau, hein?

"A sigh is just a sigh..."

– Tchau.

•

Torpedo, não. Foi um Exocet.

"Te beijo toda".

A Manon ainda tentou dobrar o papel antes que o Hamilton visse, mas tarde demais. Ele pegou o papel, leu, depois olhou em volta, tentando identificar o autor.

– Não liga, amor.

– Não liga, não. Estão pensando o quê?

O Hamilton se fixou num cara encostado no bar que olhava fixo para a mesa deles, com um sorriso nos lábios.

– É aquele.

– Deixa pra lá.

Mas o Hamilton não era homem de deixar pra lá. Levantou-se. A Manon ainda tentou segurar o seu braço mas não conseguiu. Ele dirigiu-se para o cara do bar. Que quando viu o Hamilton se aproximando expandiu o sorriso e disse "Olá!". O Hamilton hesitou.

Eu conheço esse cara?
– Como é que vamos?
– Muito bem. E tu?
– Bem. Vem cá.
– O quê?
– Nós nos conhecemos?
O outro apertou os olhos e examinou a cara do Hamilton.
– Por quê? – perguntou.
– Nos conhecemos ou não nos conhecemos?
O outro ficou sério.
– Olha aqui, ó...
– Olha aqui não senhor. Olha aqui digo eu.
– Qualé, cara?
– Tá me achando com cara de quê?
– Iiih...
– Tá olhando pra minha guria pra quê?
– E eu sei lá quem é a tua guria?
– Sabe sim. Não tira os olhos dela. Vê lá, hein?

Alguém se aproximou e sugeriu, discretamente: "Baixem a bola". Antes de voltar para a mesa, o Hamilton ameaçou: "Continua olhando com essa cara de bobo pra tu vê só". Depois que o Hamilton se afastou, o cara do bar ficou pensando, eu tenho que acabar com esta vaidade cretina e começar a usar os óculos. Esta miopia ainda me destrói.

Antes do Hamilton chegar na mesa a Manon escondeu, depressa, o segundo bilhete que recebera.

"Aproveita que ele saiu da mesa e foge comigo, vai."

·

– Eu adoro o verão. A, dê, ó, erre, erre, a! – disse ela, repetindo o erre para ênfase.
– Eu detesto.
– Eu sei.

Uma vez ela tinha arrastado ele para a praia. Ele passara o tempo todo de camisa, com a gola virada para proteger a nuca. E de chapéu. Ela tentara atiçar o entusiasmo dele.
– Não é bom? Diz a verdade.
– Fora o sol, a areia e o mar, é.

– Tu não tem jeito mesmo...

Com a volta do verão, ela recomeçava a campanha para levá-lo ao mar.

– Tu tá branco como vara verde.

Ela era assim, misturava os símiles.

– É a minha cor natural. A legítima.

– Tem que pegar um sol.

– Sol é das coisas mais perigosas que existem. Deixa ele lá e eu aqui.

– Ar livre. Oxigênio!

– Sempre achei o oxigênio muito supervalorizado. Se oxigênio fosse bom a humanidade não estava do jeito que está.

– Uma vida saudável!

– Vida saudável é esta.

E ele fazia um gesto que englobava tudo em volta. Dizia:

– Aqui não tem nada que não foi feito pelo homem. Nada. Das paredes a este cinzeiro. Daquela peruca a esta bebida. Aqui eu me sinto seguro. Acho que a Natureza tem o seu lugar, mas não é o meu.

– Você está com a cara do vampiro de Frankenstein.

– E outra coisa – disse ele. – Você já imaginou o Rick na praia?

– Rick?

– De "Casablanca". O Rick jogando peteca? O Rick furando onda? Em "Casablanca" só tem uma cena em que ele aparece à luz do sol, e não parece muito feliz.

– Quer dizer que você não vem?

– Só vou à praia quando botarem ar condicionado.

– Pois eu vou. Só volto em março.

– Você me encontrará aqui.

– Olha que eu vou sozinha. Abro a casa e fico até março.

– Você nunca estará sozinha. Sempre haverá os mosquitos.

– Sabe o que você é? Tantã!

Ela era assim. Ainda dizia "tantã".

•

Ele sentiu uma certa frieza. Pelo menos, não era como tinha sido na praia.

– Algum problema?

297

– Nada. Por quê?

– Você parece... diferente.

– Só porque eu não quis dançar?

Na praia era ela que puxava ele para dançar. Agora não queria.

– Não tô com vontade. Só isso.

– Tudo bem.

– Vai ficar chateado só porque...

– Olha aqui, Rô!

O nome dela era Roraima mas desde o começo ele decidira que não a chamaria assim. Rô.

– Olha aqui. Não vamo entrar nessa. Se você não tá mais a fim, tudo bem.

– Mas o que é isso?

– É só dizer. Não quer mais, pronto. Mas não fica me enrolando.

– Você enlouqueceu, é? Pirou?

– Comigo é ali. – E ele mostrou onde era, na mesa. – Na batata. Quer, quer. Não quer, boa noite.

– Vê se me esquece, tá?

Ficaram os dois emburrados, cada um olhando para um lado. O garçom veio tirar o pedido e cada um fez o seu, irritado. Na praia ele tinha achado engraçado ela pedir sempre Alexander. Agora achava ridículo. Alexander! Era melhor acabarem logo de uma vez.

Mas na última noite, na beira da praia, no carro, com lua, ela tinha dito que aquele fora o melhor verão da sua vida. E ele ficara engasgado. Homem feito, e engasgado por causa de uma mulher chamada Roraima, pensando até em casamento, o Brasil naquela merda e ele ali, engasgado e feliz. E naquela noite tinham jurado que seria por toda a vida.

– Sabe o que é que diz uma amiga minha?

Ele virou-se para encará-la como se fizesse um favor. Vamos lá, que bobagem diz a sua amiga?

– Ela diz que amor de verão nunca dura mais que o bronzeado.

– Mas como? É uma maldição?

– Ela diz, só isso.

– Está nos estatutos? É lei? Que cretinice.

Ela tentou um gesto de paz. Puxou a mão dele e disse:

– Está bem. Vamos dançar.

– Agora eu não quero.

Ela suspirou. Ele tentou ser irônico.

– Toda vida dura cada vez menos, ultimamente.

– O quê?

– Nada. Toma o teu Alexander.

●

Quando ela passou pelo bar em direção à mesa onde estava seu grupo, ele disse:

– Brlbm.

Ela parou e disse:

– O quê?

Ele sorriu.

– Sempre funciona. Na verdade eu não disse nada. Só disse "Brlbm". Você não entendeu e parou para saber o que era. A curiosidade venceu todos os seus outros instintos. Se eu tivesse dito um gracejo, você ia me ignorar. Com sua beleza, deve ouvi-los a toda hora. Se eu tivesse dito uma coisa mais pesada, você talvez me olhasse com desdém, ou fingisse que não tinha ouvido, ou me desse um tapa na cara. Mas "Brlbm", não. "Brlbm" é infalível. Você tinha que saber o que era "Brlbm".

– Não, eu ouvi o "Brlbm". Eu sabia que não queria dizer nada. Foi por isso que eu parei.

Foi a vez dele dizer "O quê?". Ela continuou:

– Você mudou, hein?

– Como? Eu...

– Puxe pela memória. Uma noite. Há muitos anos.

– Quantos anos?

– Faça um esforço.

Ele fez uma mímica de esforço, fechando os olhos, enrugando o rosto todo, como se estivesse espremendo o cérebro até a última lembrança. Depois pediu:

– Me ajuda.

– Outro bar.

– Há quantos anos? Por favor: mais de dez?

– Muito mais.

299

– Impossível. Eu ainda não era nascido. Deixa ver. O Encouraçado?

– Antes.

– Antes do Encouraçado?! Mas não existia nada antes do Encouraçado. Só etruscos.

– O "Crazy Rabbit".

Ele levou um choque. Meu Deus, pensou, uma contemporânea. O que é que nós estamos fazendo no Bogart em vez de um asilo? Mas ela era tão...

– Você não pode ter freqüentado o "Crazy Rabbit". Não nesta encarnação.

– Foi lá. Você puxou conversa, nós conversamos a noite inteira, depois nunca mais nos vimos.

– Qual foi a nossa conversa? Gugu? Dadá?

– Disso eu não me lembro. Aliás, eu não me lembraria de você se não fosse pelo "Brlbm". Foi a mesma coisa que você disse naquela noite, pra chamar minha atenção.

Ela se afastou, dando um abaninho. Devia ter uns cinqüenta anos, pensou ele. Plástica. Claro, plástica. Preciso fazer uma também. E parar com esse negócio de "Brlbm". Estou ficando manjado.

METAFÍSICAS

BORGIANAS

Eu estava jogando xadrez com o Jorge Luis Borges, no escuro, para não lhe dar nenhuma vantagem, quando ouvimos um tropel vindo da rua.

– Escuta – disse Borges. – Zebras!

– Por que zebras? – perguntei. – Devem ser cavalos.

Ele suspirou, como quem desiste. Em seguida me contou que há muitos anos pensava em escrever uma história assim:

– De repente, na Europa, começam a desaparecer pessoas. Pessoas humildes, gente do campo, soldados rasos. E desaparecem depois de acidentes estranhos. São atropeladas por cavalos, ou por bispos, ou por outras pessoas humildes, ou – o mais estranho de tudo – por torres. Estão caminhando na rua, trabalhando, nas suas casas, e de repente vem um cavalo e as atropela, ou vem um bispo e as derruba, ou vem uma torre, não se sabe de onde, e as soterra. E as pessoas desaparecem do mundo.

Neste instante ouvimos o estouro de um motor vindo da rua.

– Escuta – disse eu, tentando me recuperar.– O Hispano Suiza de uma diva estrábica!

– Deve ser uma Kombi – disse Borges. E continuou. – Outras coisas estranhas acontecem. Uma torre do castelo real da Holanda desloca-se loucamente pelo mapa e choca-se contra uma parede do castelo do rei Juan Carlos, da Espanha. E os bispos! Causa grande comoção o comportamento de alguns bispos europeus, que passam a só andar em diagonal, ameaçadoramente. Ninguém consegue explicar por quê. Nem eles mesmos.

– Cavalos, bispos em diagonal, torres, reis... – disse eu. – Isso está me lembrando alguma coisa.

– Exatamente – disse Borges. – Um jogo de xadrez. Um imenso jogo de xadrez. O tabuleiro é um continente. As peças, vivas, são manipuladas por forças desconhecidas. Quem está jogando? O Bem contra o Mal? Cientistas loucos, senhores de forças irresistíveis que alteram a matéria e o comportamento humano de acordo com a sua loucura? A megalomania natural de todo jogador de xadrez elevada a uma dimensão inimaginável? No fim tudo termina com um grande escândalo.

– Como? – perguntei, descobrindo, pelo tato, que Borges liquidara todos os meus peões.

– Descobrem um bispo na casa da rainha. A Elizabeth da Inglaterra. Um bispo anglicano, mas mesmo assim... Os tablóides fazem um carnaval. Há brigas no Parlamento. O grande jogo de xadrez termina, tão misteriosamente quanto começou. O apocalipse é derrotado pelo senso de propriedade inglês. Sua vez.

Mais tarde, Jorge Luis Borges me contou que no Antigo Egito já se falava num Antigo Egito. Por baixo das areias do Antigo Egito existia outro Egito, e mais outro, no qual se falava em mais três. Mas no nosso Antigo Egito, no Antigo Egito mais recente, disse Borges, acreditava-se numa vida depois desta – e Borges indicou o tabuleiro com as duas mãos. Acreditava-se em ainda outro Egito acima do Antigo Egito. Um Futuro Egito. Para onde iam os mortos, de navio. Os egípcios acreditavam também que, quando o nome ou a imagem de um morto eram apagados na Terra, o espírito do morto se apagava no Além. Os profanadores e os iconoclastas tinham a oportunidade de matar o morto pela segunda vez. O rei Akhnaton, por exemplo, apagara todas as referências a seu pai, o rei Amenhotep, das paredes e dos escritos do reino, apagando-o na Eternidade. Perguntei então a Borges o que pensava da teoria segundo a qual Akhnaton, o da Tebas das Mil Portas, no Egito, fora o modelo histórico de Édipo, o da Tebas das Sete Portas da Grécia, que Freud... Mas Borges ergueu as mãos e me pediu para não introduzir Freud, o dos 500 alçapões, nesta história, que já se complicava demais. E disse que só contava a história para mostrar o poder dos escritores sobre a posterioridade e como até os mortos estavam à mercê dos revisores.

Outra vez eu estava jogando xadrez com Jorge Luis Borges numa sala de espelhos, com peças invisíveis num tabuleiro imaginário quando um corvo entrou pela janela, pousou numa estante e disse:
– Nunca mais.
– Por favor, chega de citações literárias – disse Borges, interrompendo sua concentração.
Tínhamos eliminado tudo do xadrez, menos a concentração. Protestei que não estava fazendo citações literárias.
– Há horas que estou em silêncio.
– Citando entrelinhas – acusou Borges.
– E mesmo – insisti – não fui eu que falei. Foi um corvo.
– Um corvo? – disse Borges, empinando a cabeça.
– O corvo de Poe.
– Obviamente, não – disse Borges. – Ele falou em português. É o corvo do tradutor.
Imediatamente Borges começou a contar que traduzira para o espanhol a poesia de Robal de Almendres, o poeta anão da Catalunha. Robal escrevia na areia com uma vara e seus seguidores literários literalmente o seguiam, ao mesmo tempo copiando e apagando os seus versos do chão com os pés. Desta maneira, Robal jamais revisava os seus poemas, pois não podia voltar atrás para ver o que tinha escrito.
– Por que não lia o que seus seguidores tinham copiado?
– Porque não confiava neles. Se houvesse um entre eles com pretensão à originalidade, fatalmente teria alterado a poesia do mestre e não mereceria confiança. Os outros eram meros copiadores, e quem pode confiar em copiadores? Assim Robal se considerava o poeta mais inédito do mundo. Todas as edições das suas obras eram desautorizadas por ele. Quanto mais o editavam, mais inédito ele ficava. Robal quase ganhou um Prêmio Nobel, mas desestimulou a academia em Estocolmo com a ameaça de ir receber o prêmio em Nairobi. E eu traduzi a sua obra.
– Como você se manteve fiel ao espírito de Robal de Almendres, na tradução?
– Mudando tudo. Fazendo prosa em vez de poesia. Não traduzindo fielmente nem uma palavra.
– E onde está essa obra?
– É toda a minha obra – confidenciou Borges.
O corvo voou.

Mais tarde, chegamos à questão da importância da experiência para o escritor. Eu sustentava que a experiência é importante para um escritor. Borges mantinha que a experiência só atrapalhava.

– Toda a experiência de vida de que eu necessito está nesta biblioteca – disse Borges, indicando a sala de espelhos com as mãos.

– Mas nós não estamos numa biblioteca, mestre – observei.

– Eu estou sempre numa biblioteca – disse Borges. Continuou: – E, mesmo assim, sei como é enfrentar um tigre.

– Mas você alguma vez enfrentou um tigre?

– Nunca. Nunca sequer vi um tigre na minha vida. Mas sei como os seus olhos faíscam. Sei como é o seu cheiro, e o silêncio macio dos seus pés no chão da jângal. Tenho 117 maneiras de descrever o seu pêlo e posso comparar seu focinho com outras 117 coisas, desde a frente de um Packard até um dos disfarces do Diabo. Sei como é o seu bafo, quente como o de uma fornalha, no meu rosto, quando ele procura minha jugular com os dentes.

– Você se baseia no relato de alguém que enfrentou um tigre e escreveu a respeito?

– Não. Ninguém que enfrentou um tigre jamais deu um bom escritor.

– E o contrário? Um escritor que tenha enfrentado um tigre?

– Houve um – contou Borges. – Aliás, um bom escritor. Um dia ele foi atacado por um tigre dentro da sua biblioteca, que ficava no centro de Amsterdam. Nunca foi possível descobrir como o tigre chegou lá.

– O tigre o matou?

– Não. Ele está vivo até hoje.

– Mas então ele, melhor que ninguém, pode descrever o que é enfrentar um tigre. Porque tem a experiência.

– Não. Você não vê? Para escrever de maneira convincente sobre o tigre ele teria que voltar à sua biblioteca. Consultar os seus volumes. Os zoólogos e os caçadores. Os simbolistas. As enciclopédias. Tudo que já foi escrito sobre o tigre. As comparações do seu focinho com a frente de um Packard ou com um dos disfarces do Diabo. E isso ele não pode fazer.

– Por que não?

– Porque tem um tigre na sua biblioteca!

Contículos

Jorge Luis Borges, atravessando as estepes geladas num trem, sente que duas pessoas entram no seu compartimento. "Quem são vocês?", pergunta. "Ítalo Calvino", identifica-se um. "Vladimir Nabokov", identifica-se o outro. "Mas vocês estão mortos!", exclama Borges. "E você pensa que está realmente atravessando as estepes geladas num trem?", pergunta Calvino. "Descanse", diz Nabokov. "Vai ser uma longa noite, e temos muita coisa para contar".

•

Tinham avisado a Sandrinha. Ele tem aqueles olhos de macaco, mas é uma serpente. Mesmo assim a Sandrinha se aproximou dele na festa. Foram para outra sala, longe do barulho. Sentaram num sofá. Ele levantou a taça. Sandrinha pensou que fosse um brinde, mas não era. Meu Deus, pensou, ele usa maquiagem!

– Decifra-me – disse ele, olhando fundo nos olhos de Sandrinha, por cima da taça – ou eu te como.

No dia seguinte, Sandrinha não apareceu na ginástica.

•

"Merda", disse a Madre Superiora. Não se assuste, é que eu sempre quis começar um conto assim. Na verdade, o conto não tem nada a ver com isto. Na verdade, o conto termina aqui.

•

Um dia nosso pai subiu o rio.

Disse que ia voltar rico e que vinha nos buscar. Mas passou rio, passou rio pela nossa porta e nada do nosso pai voltar.

Um dia o rio trouxe o chapéu de palha do nosso pai. Passou lá no meião, mas nossa mãe identificou. Bom sinal. Ele já tinha trocado de chapéu. Qualquer dia aparecia rico, descendo o rio de linho branco, num barco a motor. Mas passou rio, passou rio e nada do nosso pai voltar.

Então um dia a nossa mãe viu uma balsa descendo o rio. Em cima da balsa, amarrado numa cadeira, degolado, o nosso pai, com uma tabuleta no peito ensangüentado dizendo alguma coisa. Mas nossa mãe fez que não viu.

Nunca mais se falou no nosso pai. Mas eu às vezes penso no que estava escrito naquela tabuleta. Um dia subo o rio pra descobrir.

•

Desmoronou uma ponte de gelo no Himalaia. No mesmo instante, dentro da sua cozinha, no Rio, abrindo uma lata de pêssegos em calda, Marisa sentiu uma leve inquietação, como se alguma coisa tivesse acabado em sua vida. Não existe qualquer ligação conhecida entre os dois fatos.

•

Encontraram-se 25 anos depois.

– Não é possível. O Kid!

– Que coisa!

– Puxa.

– Do que foi mesmo que você me chamou?

– Kid. Era o seu apelido. Você não se lembra?

– Confesso que não.

– Velho Kid...

– Tem certeza que era eu?

– Claro que era. Minha memória não falha. Sua mãe era a falecida dona Jacira. Acertei?

– Acertou. Faz tanto tempo...

Depois de ficou pensando. Por que será que ele era o "Kid"? Fosse o que fosse, suspirou, uma coisa era certa. Não era mais.

308

•

Maria José casou com José Maria, que também era de Ituiumbara e também gostava de excursionismo; mas não foram as coincidências que a atraíram: foi uma certa fascinação intelectual. José Maria foi o primeiro homem que Maria José conheceu que usava "outrossim". Usava errado, mas isto Maria José nunca descobriu, e foram muito felizes.

GRAVAÇÕES

Homem entra no apartamento. Já passa da meia-noite. Atira-se numa poltrona, ao lado do telefone. Liga o aparelho que gravou todas as chamadas telefônicas durante a sua ausência. Ouve:

"Alô? Mário? É o Sérgio. Olha, aquele negócio deu pé. Doze milhões. Só que preciso de uma resposta sua hoje, antes das quatro da tarde. É para pegar ou largar. Me telefona. Tchau."

"Ahn... Bom, aqui é a... Puxa, não sei como falar com uma gravação. Aqui é a Belinha. Lembra de mim? Bom, claro que a gravação não pode responder. Eu sou aquela da praia, lembra? Você bateu no meu ombro depois pediu desculpas, disse que de costas eu parecia a Lydia Brondi, mas aí de frente você viu que era a Kate Lyra. Você, hein? Você não tinha papel e anotou o seu telefone com esferográfica no meu braço, lembra? Pois é. Sou eu. Mas já que você não está, não é? E com gravação eu não quero programa não. Beijinho."

"Alô, Mário? Eu sei que você está aí. Não adianta imitar gravadora, eu sei que é você. Seu cretino. Ainda faz bip pra eu pensar que é gravação. Eu vou me matar, está entendendo? Estou telefonando para dizer que vou me matar. E vou deixar um bilhete contando tudo. Se você não me telefonar antes do meio-dia eu me mato e faço um escândalo. Tudo depende de você.

"Mário? É a sua mãe. Olhe, seu pai acaba de telefonar dizendo que sabe de fonte segura que o dólar oficial vai a mais de 40 na segunda-feira. Compre o que você puder hoje, sem falta. Viu como eu cuido do meu nenê? Não deixe de telefonar assim que você chegar."

"Alô? Bem, não sei se isto é com você. Meu português não muito bom. Uma *mujer* em Londres me deu número seu e disse

310

para dizer só uma frase, de noite os girassóis olham para o chão. Ela disse que *usted* compreenderia e colocaria as coisas em movimento. E só."

"Mário? Sérgio de novo. Só para saber se você já estava em casa. O prazo é até as quatro. Não vai esquecer. Tchau."

"É engano. Estou telefonando para o Lopes e tenho certeza que o Lopes não tem gravador no telefone dele. O Lopes não acredita em coisa mecânica. Telefone, pra ele, já é um suplício. Ele ainda não compreendeu como é que funciona porta, você acredita? Porta, dobradiça, esses negócios, ele acha fascinante. Um cara puro. Cada vez que ele faz uma ligação e alguém atende ele fica de boca aberta, acaba não dizendo nada. A outra pessoa "Alô, alô" e ele nada. O Lopes é genial. Acha fósforo um negócio sensacional. Isqueiro ele não acha grande coisa. Só apertar um negocinho e pronto. Fósforo, não. Fósforo é adiantadíssimo. Mas você não tem nada a ver com isto. É engano. Desculpe."

"Mário, eu não estou brincando. Vou me suicidar. Vou lhe dar um prazo até as duas horas. Se você não telefonar eu me atiro pela janela. Eu sei que você está aí, seu cachorro! Você vai se arrepender. Ah, vai. E pára de fazer *bip!*

"Aqui é da administradora. Sobre o seu aluguel de outubro e novembro. Se não recebermos nada até o fim do expediente de hoje vamos ser obrigados a tomar as medidas judiciais cabíveis. Obrigado."

"Me recuso a falar com uma gravadora. E você jamais ficará sabendo qual era o meu recado. Bem feito!"

"Mário? Mamãe. Me esqueci de dizer que o dinheiro que você queria para pagar seu aluguel está comigo, mas você precisa vir buscar antes das cinco, senão eu transformo tudo em dólar. É empréstimo, viu? E quero tudo em dinheiro, depois. Não em beijos, como você me pagou da última vez. Telefona, hipócrita."

"Mário? São cinco pras quatro e não sei onde localizar você. Não posso esperar mais. Vou passar aquele negócio de doze milhões pra outro. Lamento muito mas não dá pra segurar. Um abraço."

"Alô? De noite os girassóis olham para o chão. Quais são as ordens? Aguardo o seu chamado."

"Olha, aqui é a Belinha de novo. Resolvi que você merecia uma segunda chance. Pena você não estar. Poderíamos ter feito coisas incríveis, juntos. Amanhã vai ser tarde. O seu número no meu braço já está desbotando e eu não me lembro de nada de um dia para o outro. Tchau-ô."

"Seu número foi selecionado como ganhador do nosso concurso. A sua Fortuna por um Fio! Se o senhor estivesse em casa e soubesse a resposta para a pergunta "O que é que faz miau e anda de quatro", agora estaria milionário!"

"Desta vez é verdade. Já estou com a janela aberta. Vou esperar um minuto. Se você não disser nada... Bem, a culpa é sua. Quero ver você viver com a minha morte na sua consciência. Adeus."

"De noite os girassóis olham para o chão. Se não receber a senha agora, todo o esquema estará comprometido. É uma emergência. Aguardo o seu chamado."

"(Silêncio) "

Deve ser o Lopes, pensa o homem. Está calmo. Continua ouvindo.

"Mário! Você soube? A Marta tentou se matar. Ainda bem que mora no primeiro andar e só se machucou um pouco. Você precisa dar mais atencão a ela, rapaz. Onde é que você anda? Recebeu os meus recados? Comprou os dólares? Me telefona, Mário!"

O homem apenas sorri. Está esperando a gravação da última chamada. A que completará o seu dia. Ele sabe que ela virá. E então se sentirá aliviado. Em paz consigo mesmo e com o mundo, apesar de tudo. E então ouve:

"Alô, aqui é Mário. Algum recado para mim?"

CONTO ERÓTICO

– Às suas ordens.

– Que-quem é?

– Às suas ordens.

– Acho que apertei o botão errado. Ainda não me acostumei com o painel deste novo sistema. Como é que eu faço para conseguir uma linha direta?

– Linha direta: Comprima o botão vermelho no canto direito inferior do painel. Aguarde. Se não der sinal de linha, comprima o botão marrom, depois o vermelho novamente. Repita a operação até conseguir a linha. Obrigado, senhorita... De nada. Desligo.

– Escute!

– Às suas ordens.

– Olhe. Por favor, não pense que eu estou sendo indiscreto, mas é que não reconheci a sua voz. Você é nova no escritório? Alô?

– Às suas ordens.

– Eu só queria esta informação...

– Informação: comprima o "zero" no painel. Aguarde. Quando ouvir o sinal eletrônico, declare a informação desejada. Fale pausadamente.

– Não, não. Eu só queria saber... Em primeiro lugar, o que é que você está fazendo aqui até esta hora? Todo mundo já foi para casa. Já sei, é seu primeiro dia, você ainda está desambientada. Mas não precisa exagerar. Ninguém me disse que iam contratar uma nova telefonista. Aliás, me disseram que com este novo sistema, não precisava telefonista. Você não responde?

– Às suas ordens.

– Só me diga seu nome. Olhe, não sei o que lhe disseram a meu respeito, mas eu não sou um patrão duro, não. Só fico até esta hora no escritório porque, francamente, este é o lugar onde me sinto melhor. Minha mulher nem fala mais comigo. Me sinto muito melhor aqui, na minha mesa, na minha poltrona giratória, as minhas coisas, agora este novo telefone... Entendeu? Não sei por que estou contando tudo isto para você. Ah, é para você não ter medo de conversar comigo. Sou absolutamente inofensivo. As funcionárias deste escritório, para mim, fazem parte da mobília, entende? Jamais faltei com o respeito com nenhuma delas. Aliás, jamais faltei com o respeito com mulher nenhuma, ouviu? Você não tem nada para me dizer?

– Não há mensagens.

– O quê?

– Às suas ordens.

– Mas eu sou um animal. Você é uma gravação! Agora entendi. E eu aqui falando sozinho... Mas sabe que você tem uma voz linda?

– Às suas ordens.

– Quero fazer amor com você. Agora. Aqui. Em cima da mesa. Com a sua cabeça atirada para trás, por cima do calendário eletrônico. Com o jogo de canetas de acrílico espetando as suas costas. E você rindo, selvagemente, de prazer e de dor. Depois rolaremos pelo carpete como dois loucos. Como duas feras. Derrubaremos a mesa do café.

– Café: comprima o botão rosa.

– Ahn. Diz de novo. Comprima o botão rosa. Diz. Café.

– Café: comprima o botão rosa.

– Meu amor, minha paixão. Café.

– Café: comprima o botão rosa.

– Quero passar o resto da minha vida ouvindo a sua voz e comprimindo o seu botão rosa. Nunca mais preciso sair do escritório. Só nós dois. Quero fazer tudo com você. Tudo! Você deixa?

– Às suas ordens.

A VERDADE

Uma donzela estava um dia sentada à beira de um riacho deixando a água do riacho passar por entre os seus dedos muito brancos, quando sentiu o seu anel de diamante ser levado pelas águas. Temendo o castigo do pai, a donzela contou em casa que fora assaltada por um homem no bosque e que ele arrancara o anel de diamante do seu dedo e a deixara desfalecida sobre um canteiro de margarida. O pai e os irmãos da donzela foram atrás do assaltante e encontraram um homem dormindo no bosque, e o mataram, mas não encontraram o anel de diamante. E a donzela disse:

– Agora me lembro, não era um homem, eram dois.

E o pai e os irmãos da donzela saíram atrás do segundo homem e o encontraram, e o mataram, mas ele também não tinha o anel. E a donzela disse:

– Então está com o terceiro!

Pois se lembrara que havia um terceiro assaltante. E o pai e os irmãos da donzela saíram no encalço do terceiro assaltante, e o encontraram no bosque. Mas não o mataram, pois estavam fartos de sangue. E trouxeram o homem para a aldeia, e o revistaram e encontraram no seu bolso o anel de diamante da donzela, para espanto dela.

– Foi ele que assaltou a donzela, e arrancou o anel de seu dedo e a deixou desfalecida – gritaram os aldeões. – Matem-no!

– Esperem! – gritou o homem, no momento em que passavam a corda da forca pelo seu pescoço. – Eu não roubei o anel. Foi ela que me deu!

E apontou para a donzela, diante do escândalo de todos.

O homem contou que estava sentado à beira do riacho, pescando, quando a donzela se aproximou dele e pediu um beijo. Ele deu o beijo. Depois a donzela tirara a roupa e pedira que ele a possuísse, pois queria saber o que era o amor. Mas como era um homem honrado, ele resistira, e dissera que a donzela devia ter paciência, pois conheceria o amor do marido no seu leito de núpcias. Então a donzela lhe oferecera o anel, dizendo "Já que meus encantos não o seduzem, este anel comprará o seu amor". E ele sucumbira, pois era pobre, e a necessidade é o algoz da honra.

Todos se viraram contra a donzela e gritaram: "Rameira! Impura! Diaba!" e exigiram seu sacrifício. E o próprio pai da donzela passou a forca para o seu pescoço.

Antes de morrer, a donzela disse para o pescador:

– A sua mentira era maior que a minha. Eles mataram pela minha mentira e vão matar pela sua. Onde está, afinal, a verdade?

O pescador deu de ombros e disse:

– A verdade é que eu achei o anel na barriga de um peixe. Mas quem acreditaria nisso? O pessoal quer violência e sexo, não histórias de pescador.

O Homem Que Desapareceu no Prado

A notícia saiu nos jornais, com algum destaque, durante uma semana. Depois não se falou mais no assunto. Não havia mais o que falar. Um turista brasileiro que excursionava pela Europa com um grupo simplesmente desapareceu dentro do museu do Prado, em Madri. Ficara para trás enquanto o grupo percorria os salões do museu em marcha acelerada, pois naquela mesma tarde tomariam o ônibus para Barcelona, e nunca mais fora visto. Sua mulher, que o acompanhava na excursão, ficou em Madri. Procurou o consulado brasileiro, foi à polícia, houve investigação, busca, consultas diplomáticas, perplexidade – seria seqüestro? – e, finalmente, nada. O homem sumira. Onde, exatamente, tinha sido visto pela última vez? A mulher não sabia bem. Na sala que tinha aquelas pinturas de gente comprida e magra, muito feias. El Greco? Acho que é. Seu marido tinha alguma razão para, hmmm, querer abandoná-la, senhora? Nunca! Éramos bem casados. Se o senhor fosse brasileiro, saberia muito bem quem nós somos. Gente muito importante.

De volta ao Brasil, a mulher contou à imprensa que aquela tinha sido a terceira viagem do casal à Europa. Na primeira, tinham ido a espetáculos e restaurantes. Na segunda, tinham liquidado os principais monumentos e paisagens, fotografando tudo para mostrar em casa e dar inveja aos amigos. Nesta viagem, iam dar uma passada pelos museus. Vocês sabem, cultura também é importante. Prado, Louvre, o Museu Picasso, em Barcelona. Ela fazia questão de dizer "Picassô", com acento no "o". Tinha alguma esperança de rever o marido? Sim. Tinha certeza que o mistério seria esclarecido, um dia. Pobre do Oscar.

Alguns meses depois, outra notícia estranha apareceu nos jornais. Alguém no museu do Prado descobrira, num canto do quadro "As meninas", de Velasquez, um vulto que não estava ali antes. Uma forma vagamente humana, os contornos de um rosto. Descartaram a idéia de que fosse obra de algum vândalo sutil. A ação do tempo, quem sabe? Alguma coisa no ar? Também não. O tempo e a poluição encobrem os detalhes, não os revelam. E, quando, em meio a grande polêmica nos meios artísticos, especialistas preparavam-se para levar o grande quadro a um laboratório e desvendar o mistério, o mistério aprofundou-se. O vulto desapareceu como tinha aparecido. Sem explicação.

Semanas depois, nova sensação. O vulto reapareceu numa pintura de Goya, no mesmo museu do Prado. Desta vez, bem mais nítido. O rosto – no meio de uma multidão de camponeses – era de um homem de meia idade, de óculos e bigode fino, com uma expressão de perplexidade, como se também não soubesse como fora parar ali. No dia seguinte, a figura não estava mais no mesmo quadro. Pulara para outro quadro de Goya. Depois para outro. Quando, finalmente apareceu por trás do divã da "Maja Desnuda" – agora com um meio sorriso na cara bolachuda – a sensação já corria mundo. Permitiram que o quadro fosse fotografado. Alguém, no Brasil, levou uma revista com a fotografia para a mulher do turista desaparecido. "Ionita este aqui não está parecendo..."

– Mas é o Oscar! – gritou Ionita. E desmaiou.

Ionita voou para a Europa. Talvez pudesse se comunicar com o marido, de alguma maneira. Mas ele desaparecera outra vez. Alguém julgou identificar sua cara atrás de um arbusto incandescente numa pintura de Hieronimus Bosch, mas foi rebate falso. Os Goyas, ele, definitivamente, não estava mais freqüentando.

Ninguém encontrava uma explicação para o fato. Quer dizer, explicações apareceram várias, mas nenhuma lógica. Chegaram a dizer que aquilo era uma vingança da alta cultura européia contra a horda de turistas em excursão que passavam por ela fingindo interesse, roubando a sua alma com suas polaróides e minando suas bases com seu tropel. A cultura contra-atacava. Fizera um prisioneiro. Mas, por que logo o pobre do Oscar?

– Como estava vestido seu marido quando desapareceu, senhora?

– Estava com uma camisa de bolinhas, comprada em butique. Caríssima.

– Era ele...

O rosto de Oscar não foi visto em nenhum outro quadro do Prado. Quando Ionita preparava-se para desistir e voltar de novo ao Brasil, recebeu a notícia. O rosto misterioso fora visto num museu de Amsterdam, na "Ronda Noturna", de Rembrandt. Ionita voou para lá. Não havia dúvidas. Era o Oscar. Não parecia mais perplexo. Parecia entediado.

– Oscar, fale comigo! – gritou Ionita para o quadro. – Saia daí, Oscar. Os travellers ficaram com você.

Nada. Oscar estava integrado na tela. Se não fosse pela camisa de butique, podia ser um membro da guarda. Dali passou para um quadro expressionista de Van Gogh, ("O que estão fazendo com você, Oscar!", gritou Ionita, diante da sua cara deformada). Depois – com Ionita sempre correndo atrás – pulou para o "Jeu de Pomme", em Paris. Percorreu todos os impressionistas. Ionita seguia Oscar na sua peregrinação por quadros e estilos e a imprensa seguia Ionita. Ela chegou a ficar doente quando Oscar apareceu num quadro de Picasso, em Barcelona, da fase cubista. O nariz de um lado, os dois olhos do outro, o bigode em cima, as bolinhas da camisa espalhadas por todo o quadro. Depois, Oscar desapareceu. Durante meses. Houve vigília em todos os museus da Europa. Até que, um dia, chamaram Ionita no seu hotel, em Paris.

– Madame, venha depressa.

Ionita correu para o Louvre. Oscar tinha aparecido ao lado da Mona Lisa. Estava à vontade. Até passara um braço pelos ombros da moça e também sorria para o público.

– Pobre do Oscar... – suspirou Ionita, resignada. – Pelo menos parece feliz...

E preparou a polaróide.

A Voz da Felicidade

– **A**lô?

– Aqui fala a Voz da Felicidade. Quem fala aí?

– Como?

– Aqui fala a Voz da Felicidade. A voz que leva a alegria ao seu dia-a-dia. Amaro Amaral, o rei do dial. O que está nas ondas e não é surfista, está no fio e não é equilibrista. O que leva a sorte ao seu lar pelo ar.

– Eu não estou entendendo...

– Como é o seu nome?

– É... é...

– Você não sabe o seu nome? Já vi gente mal-informada, mas a senhora leva o prêmio, hein?

– Não, é que...

– Não leve a mal. É Amaro Amaral, o homem do coisa e tal. Alegria não paga imposto. Diga lá. Já lembrou o seu nome?

– É Maria.

– A da sapataria? Estou brincando. Coisa e tal. Bom-dia, dona Maria!

– Bom-dia. Eu...

– Quando é que a mulher tira a roupa mais depressa?

– O quê?

– É uma charada, dona Maria. Responda num minuto e ganhe um colchão Celeste, nuvem anatômica. O relógio está correndo. O relógio está fazendo Cooper. A senhora tem 40 segundos.

– É que... Estou meio...

– Trinta segundos, dona Maria. O relógio foi correndo até a es-

320

quina e já está voltando. A senhora estava dormindo, dona Maria? A essa hora? Que voz de sono! O sol está brilhando e Amaro Amaral está cantando. "O sole mio, e coisa e tal..." Está bem, dona Maria, eu paro. Como é, e a charada?

– Eu...

– Vou lhe dar outra chance de ganhar um colchão Celeste, nuvem anatômica, onde dá para dormir até de olhos fechados. Já que a senhora gosta tanto de dormir, não é, dona Maria? Estou brincando. Posso repetir, dona Maria?

– Sim, é que...

– Quando é que a mulher tira a roupa mais depressa? Cuidado com o que a senhora vai responder, dona Maria. Este é um programa de família.

– Programa?

– Nós estamos no ar, dona Maria. A Voz da Felicidade, com Amaro Amaral, o baixinho alto astral. Diga lá. A senhora tem mais um minuto. Acorda, dona Maria!

– É que eu estou meio zonza. Tomei uns comprimidos...

– O que é isso, dona Maria? Alegria não se compra em farmácia. Coisa e tal. E a charada?

– Tomei o vidro inteiro. Queria me matar.

– Não me diga isso, dona Maria! Que coisa feia. O mundo é tão bom.

– Não é não.

– Dona Maria, me dê o seu endereço que eu vou mandar um médico aí.

– Não, eu...

– Olha aí, produção. Vamos checar o número de telefone da dona Maria e descobrir o endereço dela. Dona Maria, por que a senhora fez isso? A senhora tem família, dona Maria? Como é o seu nome todo?

– Solidão...

– Maria Solidão. Olha aí, família Solidão, vamos dar uma mão.

– Há um ano que eu espero esse telefone tocar. Um ano. Hoje ele toca e...

– É a Voz da Felicidade, dona Maria, Amaro Amaral, seu amigo matinal. Dona Maria, a senhora está me ouvindo?

– Mais ou menos.

– Não desligue, dona Maria! Nós vamos ajudá-la. Atenção, dona Maria. Sensacional. Acabam de me passar um bilhete do patrocinador dizendo que a senhora não precisa responder a charada. Já ganhou o supercolchão Celeste, nuvem anatômica. Veja só o que a senhora ia perdendo, dona Maria. O mundo é bom.

– Um ano sem tocar...

– Alô, dona Maria. Para onde a gente manda o colchão? Eu mesmo vou aí entregar o colchão, dona Maria. Amaro Amaral, seu amigo matinal. Coisa e tal. Nos dê seu endereço que...

– Solidão...

– Atenção. Acabo de ser autorizado pelos meus patrocinadores a revelar a resposta da charada. A senhora vai saber a resposta da charada e ainda ganha um super Celeste, nuvem anatômica, no mole. Tome nota dona Maria. Não desligue.

– Um ano... Nada... Ninguém...

– Não desligue, dona Maria. Mas ainda não descobriram essa porcaria de endereço? Atenção, dona Maria. A charada era, quando é que a mulher tira a roupa mais ligeiro. A resposta é, quando começa a chover. A mulher vai correndo tirar a roupa do varal. Entendeu, dona Maria?

– Ahn...

– A mulher vai correndo... Alô, dona Maria? Dona Maria?

– (Clic)

HISTÓRIAS DE BICHOS

Dona Casemira vivia sozinha com seu cachorrinho. Era um cachorrinho preto e branco que Dona Casemira encontrara na rua um dia e levara para casa, para acompanhá-la na sua velhice. Pobre da Dona Casemira.

Dona Casemira acordava de manhã e chamava:

– Dudu!

O cachorrinho, que dormia na área de serviço do apartamento, levantava a cabeça.

– Vem, Dudu!

O cachorrinho não ia. Dona Casemira preparava a comida do cachorrinho e levava até ele.

– Está com fome, Dudu?

Dona Casemira botava o prato de comida na frente do cachorrinho.

– Come tudo, viu, Dudu?

Dona Casemira passava o dia inteiro falando com Dudu.

– Que dia feio, hein, Dudu?

– Vamos ver nossa novela, Dudu?

– Vamos dar uma volta, Dudu?

Saíam na rua. Dona Casemira sempre falando com seu cachorrinho.

– Está cansado, Dudu?

– Já fez seu xixizinho, Dudu?

– Vamos voltar pra casa, Dudu?

Dona Casemira e seu cachorrinho viveram juntos durante sete, oito anos. Até que Dona Casemira morreu. E no velório de Dona

Casemira, lá estava o cachorrinho sentado num canto, com o olhar parado. A certa altura do velório o cachorrinho suspirou e disse:

– Pobre da Dona Casemira...

Os parentes e os amigos se entreolharam. Quem dissera aquilo? Não havia dúvida. Tinha sido o cachorro.

– O que... o que foi que você disse? – perguntou um neto mais decidido, enquanto os outros recuavam, espantados.

– Pobre da Dona Casemira – repetiu o cachorro. – De certa maneira, me sinto um pouco culpado...

– Culpado por quê?

– Por nunca ter respondido às perguntas dela. Ela passava o dia me fazendo perguntas. Era Dudu pra cá e Dudu pra lá... E eu nunca respondi. Agora é tarde.

A sensação foi enorme. Um cachorro falando! Chamem a TV!

– E por que – perguntou o neto mais decidido – você nunca respondeu?

– É que eu sempre interpretei como sendo perguntas retóricas...

•

E tem a história do papagaio depressivo.

Compraram o papagaio com a garantia que era um papagaio falador. Não calava a boca. Ia ser divertido. Não há nada mais engraçado do que um papagaio, certo? Aquela voz safada, aquele ar gozador. Mas este papagaio era diferente.

No momento em que chegou na casa, o papagaio foi rodeado pelas crianças. Dali a pouco um dos garotos foi perguntar ao pai:

– Pai, quem é Kierkegaard?

– O quê?

O papagaio estava citando Kierkegaard para as crianças. Algo sobre a insignificância do Ser diante do Nada. E fazendo a ressalva que, ao contrário de Kierkegaard, ele não encontrava a resposta numa racionalização da cosmogonia cristã. O pai mandou as crianças se afastarem e encarou o papagaio.

– Dá a patinha, Louro.

– Por quê? – disse o papagaio.

– Como, por quê? Porque sim.

– Essa resposta é inaceitável. A não ser como corolário de um posicionamento mais amplo sobre a gratuidade do gesto enquanto...

– Chega!

– Certo. Chega. Eu também sinto um certo enfaro com a minha própria compulsão analítica. O que foi que disse o bardo? "O mundo está demais conosco." Mas o que fazer? Estamos condenados à autoconsciência. Existir é questionar, como disse...

O pai tentou devolver o papagaio mas não o aceitaram de volta. A garantia era de que o papagaio falava. Não garantiram que seria engraçado. E o papagaio, realmente, não parava de falar. Um dia o pai chegou em casa e foi recebido com a notícia de que a cozinheira tentara se suicidar. Mas como? A Rosaura, sempre tão bem disposta?

– Foi o papagaio.

– O papagaio?

– Ele encheu a cabeça dela. A futilidade da existência, a indiferença do Universo, sei lá.

Aquilo não podia continuar assim. Os amigos iam visitar esperando se divertir com a conversa do papagaio depressivo. No princípio riam muito, sacudiam a cabeça e comentavam: "Veja só, um papagaio filósofo..." Mas em pouco tempo ficavam sérios. Saíam contemplativos. E deprimidos.

– Sabe que algumas coisas que ele diz...

– Eu nunca tinha pensado naquela questão que ele colocou da transitoriedade da matéria...

Os vizinhos reclamavam. O negativismo do papagaio enchia o poço do edifício e entrava pelas cozinhas. Como se não tivessem bastante preocupações com o preço do feijão, ainda tinham que pensar na finitude humana? O papagaio precisava ser silenciado.

Foi numa madrugada. O pai entrou na cozinha. Acendeu a luz, interrompendo uma dissertação crítica sobre Camus que o papagaio – que era sartreano – fazia no escuro. Pegou um facão.

– Hmmm. – disse o papagaio. – Então vai ser assim.

– Vai.

– Está certo. Você tem o poder. E o facão. Eu sou apenas um papagaio, e estou preso neste poleiro. Mas você já pensou bem no que vai fazer?

– É a única solução. A não ser que você prometa nunca mais abrir a boca.

– Isso eu não posso fazer. Sou um papagaio falador. Biologia é destino.

– Então...

– Espere. Pense na imoralidade do seu gesto.

– Mas você mesmo diz que a moral é relativa. Em termos absolutos, num mundo absurdo nenhum gesto é mais ou menos moral do que outro.

– Sim, mas estamos falando da sua moral burguesa. Mesmo ilusória, ela existe enquanto determina o seu sistema de valores.

– Sim, mas...

– Espere. Deixe eu terminar. Sente aí e vamos discutir esta questão. Wittgenstein dizia que...

Impressão

IMAGEM
DE QUALIDADE
SANTA MARIA - RS - FONE: 222.3050

Com filmes fornecidos